KB085176

그 알파를 꼬시는 법

HOW TO

그 알파를 꼬시는 법

시즌1

1

글 / 그림 **킴녕**

SNAG AN ALPHA

겯 BESIDE

01	006
02	025
03	045
04	063
05	082
06	102
07	119
08	138
09	159
10	180
11	201
12	221
13	240

HOW TO

SNAG
AN
ALPHA

HOW TO SNAG AN ALPHA

01

오메가 전문의
박사 강문식
대영대학병원
호르몬 수치가 정상으로 올랐습니다.

우영 군이 열성이라 호르몬 수치가 굉장히 불안정하고 낮았었는데
갑자기 급상승했습니다.
환자 차트
성명 윤우영
성별 남성 오메가
나이
왜요? 설마… 병은 아니겠죠?

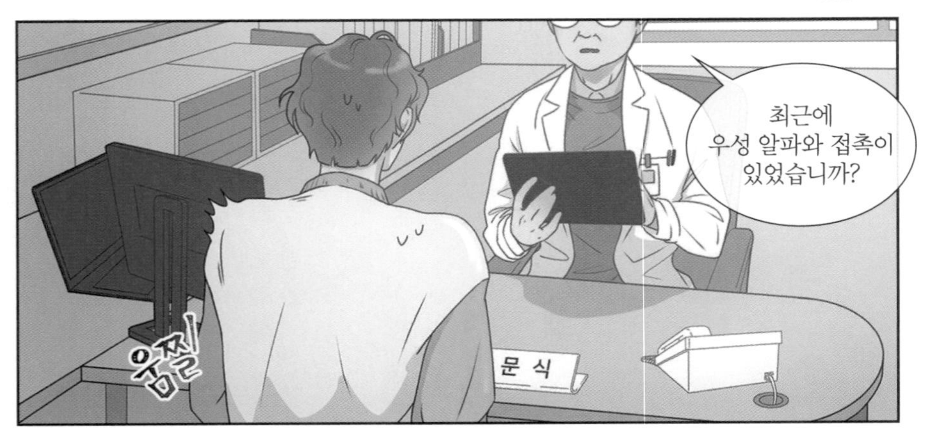

최근에 우성 알파와 접촉이 있었습니까?
움찔

아,
음…
삐질
삐질

츄읍
츕
으음
아무래도
강한 알파 페로몬을
움찔
움찔
으응~

하아
쪽 쪽
꽈악
우영 군 호르몬에 변화가 생긴 것 같습니다.
래서…
탁
그동안 없었던…
'히트 사이클'이 온 겁니다.
'히트 사이클'이요?
흑!
그래요,
히트 사이클.

하아
하아,
으응···
하아
흣
질척
쫍
쪼옥
하아
하아,
이상해.
질척
주르륵
미칠 것 같
흐으응

터덜
터덜

내가,
히…
멍~
히트 사이클이라니….
우영 도련님!
엉?

사장님께서
모셔오라십니다.
척!

털썩
…망했네,
젠장.
탁
탁
하아
하아
하아
하아
하아
하아
저벅
저벅
하아
하아
하아

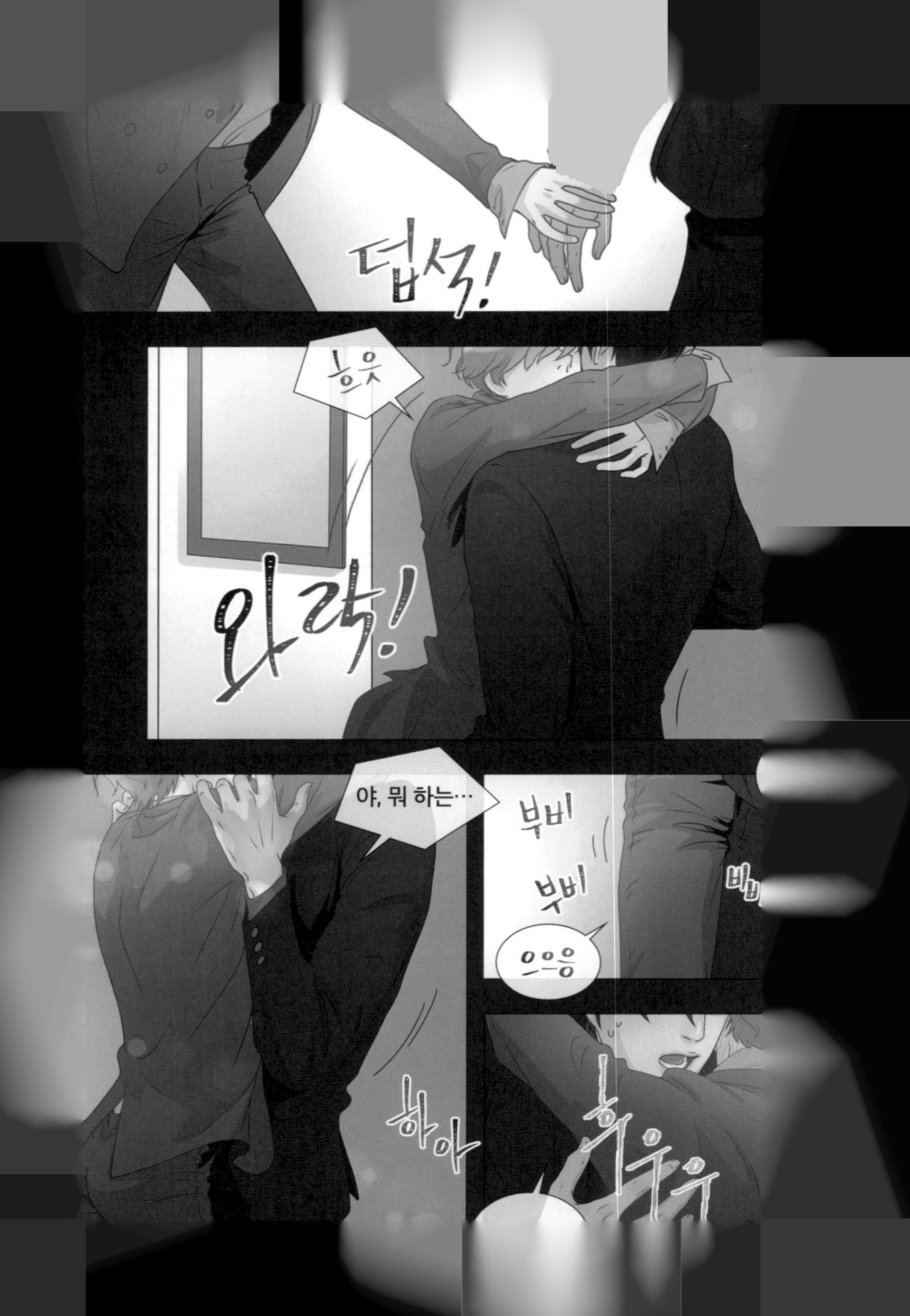
덥석!
흡읏
와락!
야, 뭐 하는…
부비
부비
으응
하아
후우우

하아
스읏
하아
제기랄!
덥석!
읍

츄릅
츕 촉
으으으응~
쫍 쪽
풀썩!
꽈악
못…
참겠어.
슥
쪽 쪽
번쩍

아!
흐으응
하아
흐으으응으아아아아아악
아앙..읏!
파르르
부르르

윤우영
미쳤어!!
쿵! 쿵!
퍽
힛싸였어!
그래서 그렇게!
어?! 그랬어!
도...
도련님...
아주 시발,
발정이 나서
그랬던 거야!
부들
부들
끄으아
아아
아악!

탁!

터덜
터덜
속닥
이번엔 또
무슨 짓을 한 거야?!
속닥
꾸욱!

쓰윽
쏙닥
아버지
강 박사님 전화 받으시고
난리 나셨어!
쏙닥

삐질
삐질
딱 딱
강 박…
시발.

아빠
어디까지 아시는 것
같은데?
나도 몰라,
인마!
쾅!
윤우영 이새끼!
빨리 안 튀어와!
움찔!
헉!
어떤 새끼야?!
그 알파 새끼가
누구냐고!!!
화르륵
우리 집에
언제부터
야구 방망이가
있었지?
빨리 말 안해!!

대학원도 안 가겠다!
결혼도 안 하겠다!
일도 안 하겠다!
그러더니 한다는 짓이!
안절
부절
아버…
지…
결국 이거냐?!
어!

아빠, 그게,
그러니까…
어떤 새끼냐고!
어떤 새끼가
겁대가리도 없이

그 알파 새끼
누군지 말해!!
헉!
버벅
아, 아빠…
윤 씨 가문 막내를
죽이려는 거야?

감히 윤 씨 가문
막내를 건드려?
삐질
아버지,
방망이는 좀
내려놓으시…
흡

삐질

어떻게
말합니까…

하아
그
알파 새끼가
아응
하읏
아아읏
하아
하아

하아
조, 좋아…
겨읏, 흣
서산전자
서산 그룹
후계자…
하아

할짝!
아응, 아파

그럼?
움찔
'차경주'라고!

꽈악!
응? 빨리—
거기다…
파들
빨리, 차경주우— 흐으
파들

해줘…
으흣
내가
먼저 덤볐다고
죽어도 말
못 합니다!
아버지!

크읍!
콰악!
그 알파 새끼가
누구냐고!!

HOW TO SNAG AN ALPHA

02

[지난 밤]

꾹
내가 왜
이딴 데서….

홱!
저딴 꼬라지를
보고 있어야 하는
거야!

바글
바글

작년에
경제인 포럼에서
뵈었었는데!
다음 주,
저희 그룹
창사 행사에도
꼭 와주세요.

얼씨구?

행사 뒷풀인데
분위기가 너무
딱딱한 거 아닌가?
편하게
놀자고ㅡ.
절씨구.
경주,
너도 오랜만에
이런 자리 나왔으니까
좀 즐겨.
…어,
그래.
놀고 있네.
흔들
일만 하지 말고,
친목도 좀 다지게
자주 좀 나와라.
흔들

우성 알파 하나
왕좌에 두고
확
굽신대는
찌질한
알파들과
짝짓기하고
싶어 하는
오메가들이라….

아주
동물의 왕국이
따로 없네!
아,
쟤가 화명 그룹
막내야?
진짜
베타였어?

움찔
베타인 척하는
열성 오메가 아냐?
열성인 거 숨기려고
베타인 척하는
애들 많잖아.
ㅋㅋ

시비 걸지 말자,
윤우영.
난 참을 수
있어.
스담
스담

나에겐
소중한 블랙 카드가
있으니까….
소중
한도 프리!

앗!
윽!
형 양아치냐?
돈으로 협박을 하게!
부들
부들
사랑하는
동생아.
홱!
어!
가지마!
나 그런 데
딱 질색인 거 알잖아!
그렇게 중요한 자리면
형이 가라고!
때굴
야!
내가 갈 수 있으면
너한테 부탁하겠냐?
급하게
중요한 계약 미팅이 잡힌 걸
어떡하냐!
때굴

조근
아니이—
우리 동생이
그런 데
싫어하는 거
형도 자알 알지.
조근
흑
벌
그러니까 가서
아무것도 안 해도
된다니까.

제발,
히만 있다가
와. 어?
꼬옥
아버지한테
카드 뺏겨서
당장 방세 낼 돈도
없다면서.
훌쩍
짜증 나…
열성인 것도
서러운데
내가
너무 불쌍해….
훌쩍

닥 토닥
그러게,
아버지 잔소리
하루 이틀 들은 것도
아닌데
너도 좀
네, 네 하고
넘기면 되지
왜 같이 붙어 싸워,
싸우길.

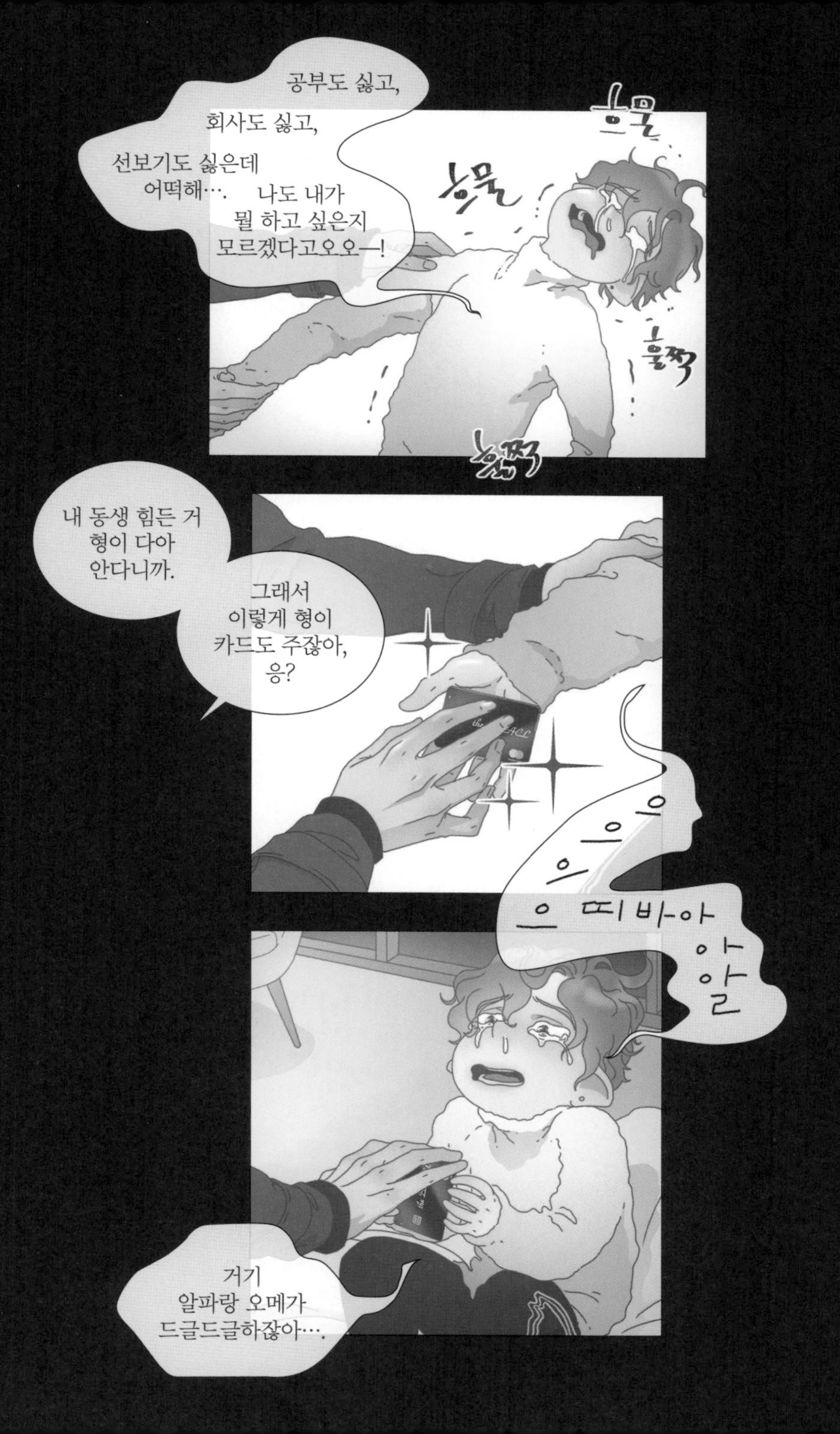
공부도 싫고,
회사도 싫고,
선보기도 싫은데 어떡해….
나도 내가 뭘 하고 싶은지 모르겠다고오오—!
흐물
흐물
훌쩍
훌쩍
내 동생 힘든 거 형이 다아 안다니까.
그래서 이렇게 형이 카드도 주잖아, 응?
으으으으 띠바아 알아알
거기 알파랑 오메가 드글드글하잖아….

꾸욱
그러니까 가만히,
제발 사고 치지 말고,
조용히 참석만 하고
오면
파악!
이 한도 없는
'블랙 카드'는
네 거야.

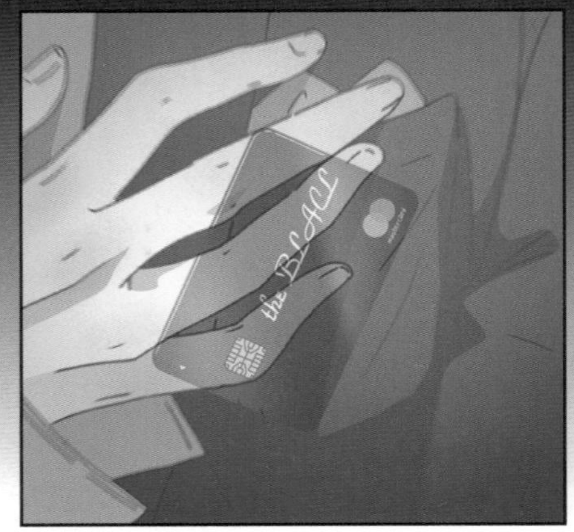

결연!
슥
어려울 거 없어,
그래.

탁!

참자,
모른 척하자.

부들

피식

뭐야?

오메간 줄
알았잖아.

개ㅅ…

워, 워.
이건 인간이
아니다.

부들
부들
인간인 내가
참아준다…
뭐,
베타라도 이 정도면
이쁘장하네.

아니, 근데
이 새끼가…!
참자, 참…
턱!
한번
놀아줄게.
너도 이왕 놀 거
알파가 놀아 주면
좋잖아?
턱!
…존나
촤악

주르륵
이, 이게… 무,
뚝
뚝
버럭
무슨 짓이야?
돌았어?!
더럽게 껄떡대네,
진짜!
왁!
웅성
뭐야?
왜 저래?
웅성
웅성

어?

피식
내가 베타든 뭐든,
이왕 놀 거면 너처럼 찐따 같은 알파보다는

우성 알파랑 노는 게 더 재밌지 않겠냐?
움찔

우성 알파?
너 지금 차경주
말하는 거야?
픽!
경주가 미쳤냐?
너 같은 거랑
어울리게?
나는 미쳐도
너 같은 찌질이랑은
안 놀아, 새끼야.
이게
감히 건방지게
어디서!
확
웃기시네!
탁

덥석
자, 자.
진정들 하고.

나랑 놀고 싶으면
말을 하지.

왜 쓸데없이
시간 낭비를 해?

화악

얘, 왜 이래?

헉!
움찔
움찔
무슨 생각인 거지?

재 화명 윤우영 아니냐?
뭐야? 저 그림은?
둘이 아는 사이야?
차경주 베타만 상대한다는 소문 사실이었어?

뭔 거 같아?
네가 꺼질 타이밍 같지?

뭐,
뭐야?

우리도
시간 낭비하지
말고
그만 나갈까?
헉!
뭐?

읏,
저릿!
저릿!
이, 이거
뭐야?
이상해…!

응?
화
으읏.
악

하아
으, 그…
그래.

웅성
어, 어…
이건 아닌데!
웅성!

HOW TO
SNAG
AN
ALPHA

03

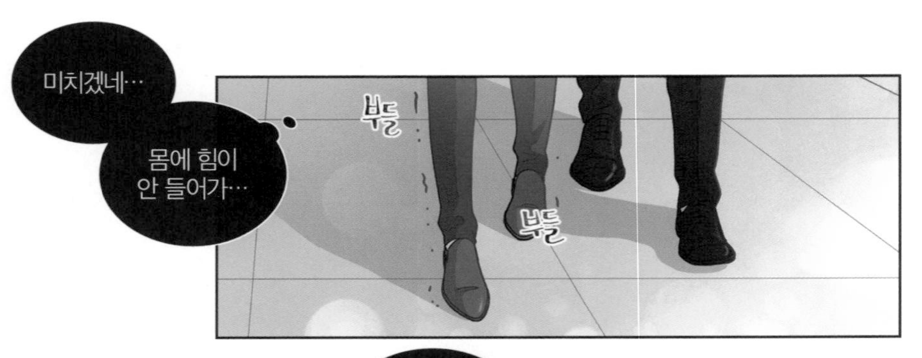
미치겠네…
몸에 힘이
안 들어가…
부들
부들

갑자기 몸이
왜 이러지?
피식
저기…
응?
왜?
못 걷겠어?
파르르

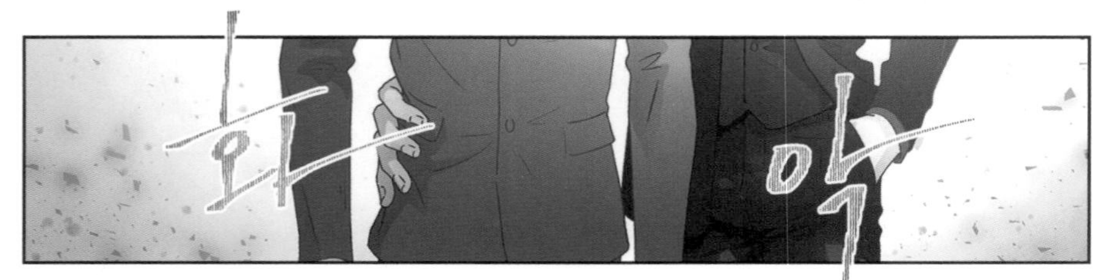
화악

아니,
그게 아니라….
흐읏!
휘청
흐읏
뭐가?
뭐가
아닌데?
내가…
흐으,
그러니까….

미치겠네…
술을 너무 마셨나? 몸이 말을 안 들어.
그러게…

어!
이건…

…키스다!

피샤—

팍!
왜
가만히 있는 사람한테
시비를 걸어,
혼나려고.
이… 씨!
윤우영, 미쳤어?
눈을 왜 감아!
눈을!!

휘익
조심해, 꼬맹아.
탁
탁
이번엔 봐주는데,
다음엔 진짜 혼난다.
휘익
풋!
뚜벅
뚜벅
뚜벅
으…
윽…
풀썩
꼬맹이라는 거야,
흐으…
누굴 보고
꽉
저 자식이.

벌컥!
아까부터
몸이 너무 이상해요!
약 좀
처방해주세요!
헉
예?
무슨 약을….
그러니까,
그게, 열이….
음,
열이 나는 것
같은데…
아닌 것
같기도 하고,
주저
주저
숨이 찬데…
숨이
차는 것 같지도
않고.
몸에 힘이
안 들어가고,
막
가슴이…
가슴이?
가슴이
아파요?
콩닥
콩닥
콩닥
…뛰어요.
에?

몸, 몸살!
감기 몸살인 거 같아요!
아닌 거 같은데요.
오메가 맞죠?
탁!
제가 봤을 땐 히트 사이클 같은데,
평소 시기보다 빠른가 봐요?
움찔
아닌데요!
저 히, 히트, 그런 거 아닌데요!
이 사람 무슨 헛소리야!
맞는 거 같은데요.
슥
나, 난 오메가가
아, 아니라고요!

말이 되는
소리를 해야지.
삑!
히트 사이클?
누가? 내가?
까딱
까딱
하, 웃겨!
완전
돌팔이네.

종합
감기약
그, 그럴 리가
있나….
띠-
잉

발현도
스무 살에야 했는데,
그 후로도 히트 같은 거
한 번도 없었고.
슥

그럴 리가 없어.
나 열성인데⋯.

스멀
흠칫!
아씨,
오늘 뭔 날이야?
스멀
슬금...
슬금...
이 새끼나 저 새끼나
페로몬을
질질 흘리고 다녀?!

응? 페로몬?
이거
페로몬이야?
그럼
아까 그것도,

차경주…
화악
페로몬.

버럭!
아씨!
뭐야?
어떤 새끼가 자꾸 페로몬을…!
짬짝!
킁킁
뭐야? 이 미친놈은!
너… 오메가 맞잖아?
움찔!!
이 냄새, 오메간데?
뭐, 뭐라는 거야?
이 변태 새, 새끼가!
헛소리하지 말고 저리 비…!

턱!

읏!

모,
몸이 또…

이것 봐,
나잖아.
오메가
냄새.

너 오메가였냐?
몸이 안 움직여!
이러다가…!
파들
개, 개소리…
하지 마.

날름
귀엽네.
윽!

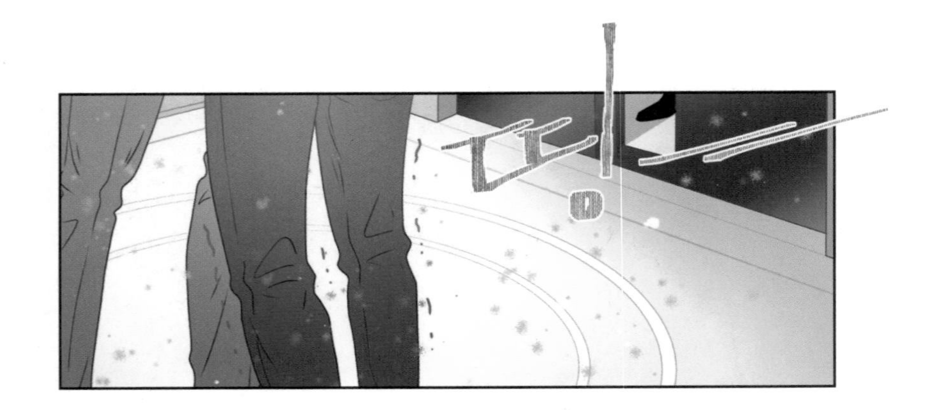
띵

흑

파르르
꿈틀
흠….
바들
바들

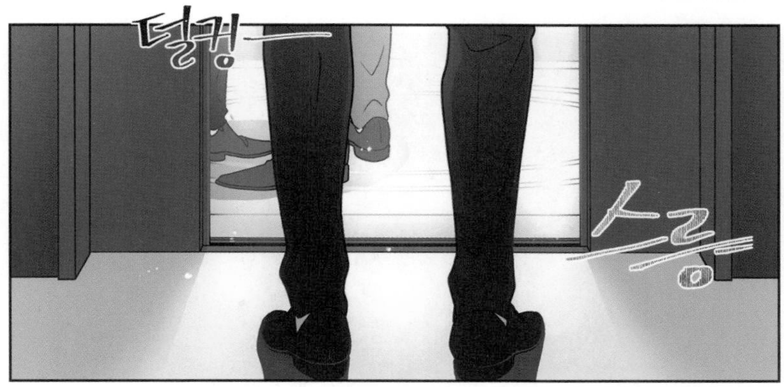
덜컹—
스릉

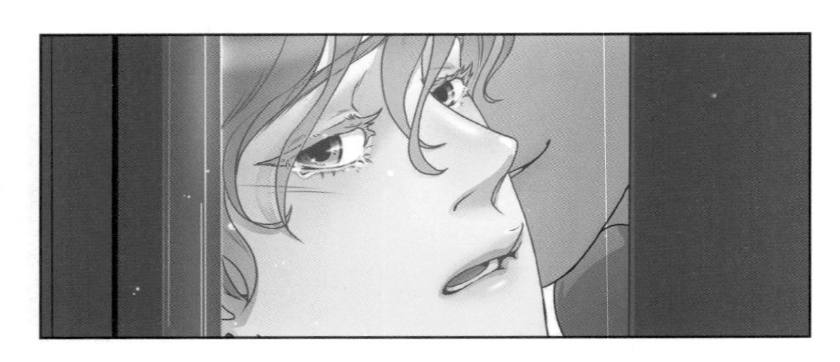

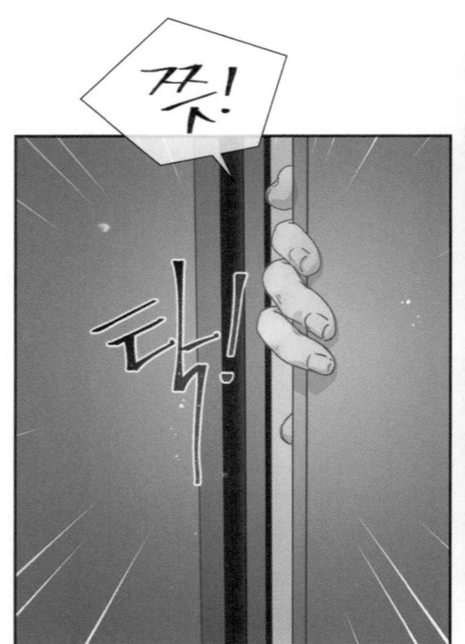
꽉!
탁!

턱!

휙
어!

툭
왜 이렇게
늦었어?

뭐 하는
짓이야?
꼬옥
한참
기다렸잖아.
웃!
스릉

탁!

HOW TO SNAG AN ALPHA

04

하아

괜찮아?

하아
아무 생각도
못 하겠어.
하아-

하아
조금만
참아.

하아
미칠 것 같다.

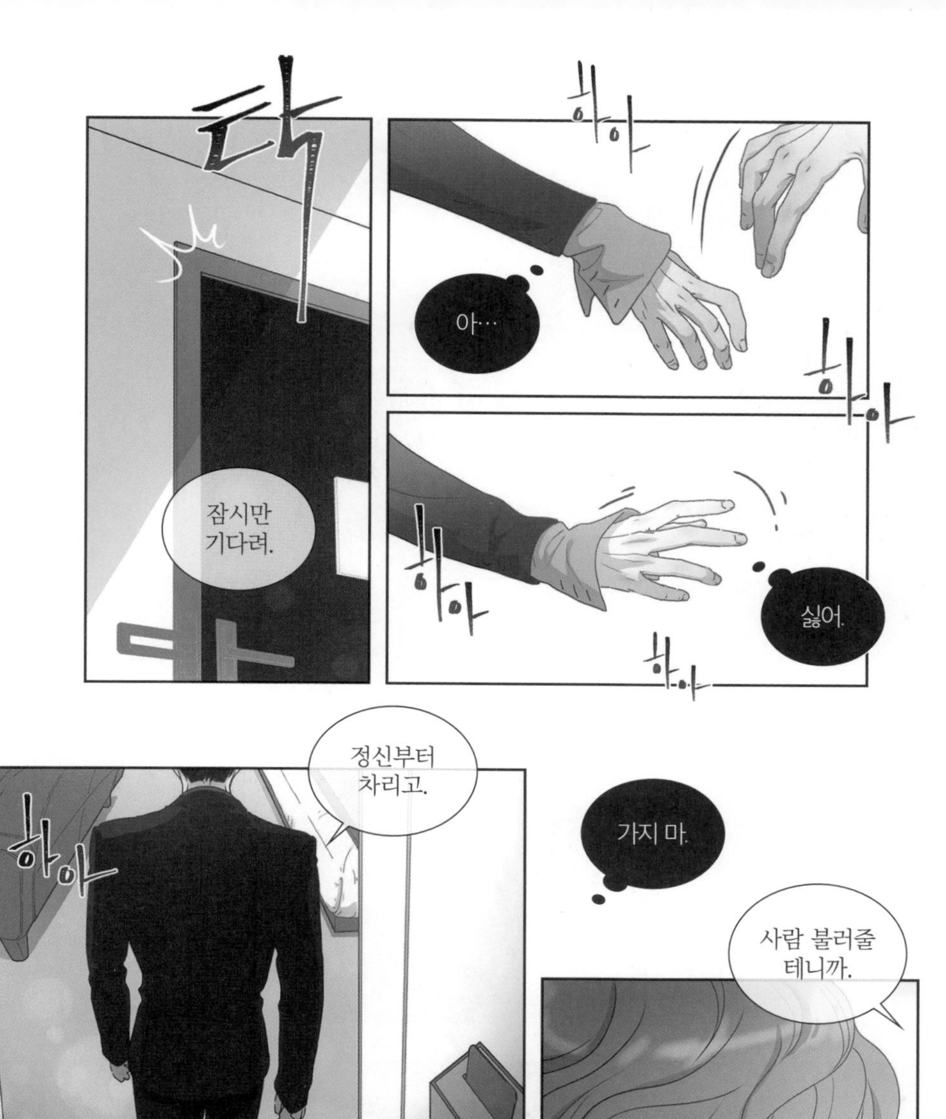
탁
하아
아…
하아
잠시만
기다려.
하아
싫어.
하아
하아
정신부터
차리고.
하아
가지 마.
사람 불러줄
테니까.
하아

생각이
없는 거야?

덥석!
그런 상태로
돌아다니…

흐읏
와락!

하아
흐으

야,
뭐 하는…
스멀
스멀
너,

꽈악

미치겠네….

부비
부비
나,
나 이상해.

하아아—
덥석!
질끈
읍!
제기랄!

츕
흐읏~
츕

탁!
탁!
읍!

하아·· 숨,
히이
히이
숨막혀~
그만,
정신 차려.
쭈욱!
다시,
조금만
천천히…

으응…
모르겠다!
와락!
흐읍

츱
쪽
할짝
으흐
헤헤
츠옥
츱
간지러워,
까득!!
아!

움먹
흐으,
아파
더…
흐응
더 울리고
싶어.
비틀
아! 아!
학

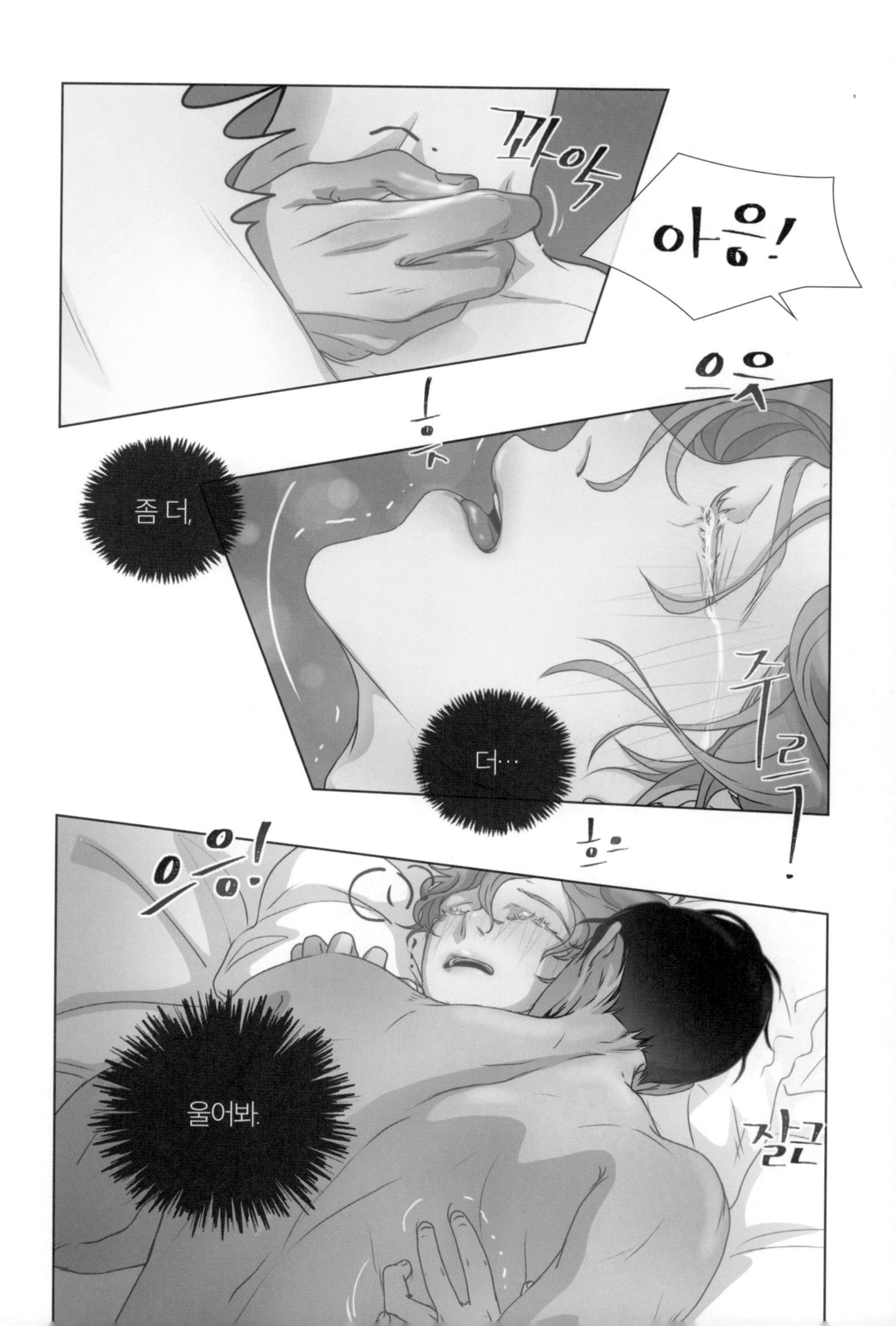

꽈악
아응!
흐읏
으읏
좀 더,
주르륵!
더…
으응!
흐응
울어봐.
잘근

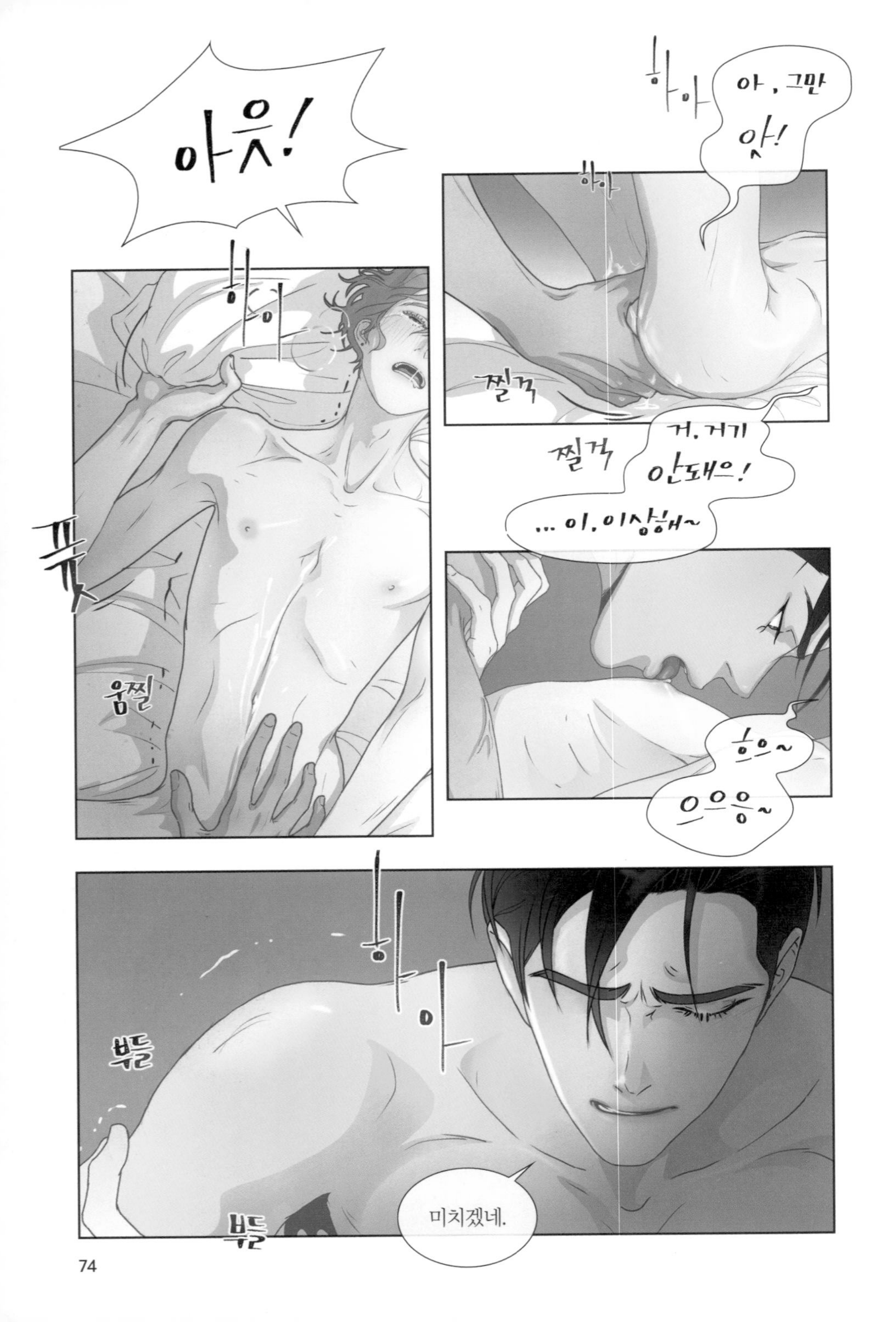
아읏!
하아
아, 그만
앗!
하아
찔걱
찔걱
거, 거기
안돼으!
...이, 이상해~
움찔
흐으~
으으응~
하아
부들
미치겠네.
부들

휙
아!
하아
하아
하아
하아
꾸욱
으읍!
힘 좀…
빼.
으으읍

윤…

흐으…으읍
흑
흐윽―
흑, 읍…
…우영,
왜….
흐으읍

너, 왜…
훌쩍
탁
흑
주섬
주섬
정신 나갔어,
힛싸 온
오메가랑….

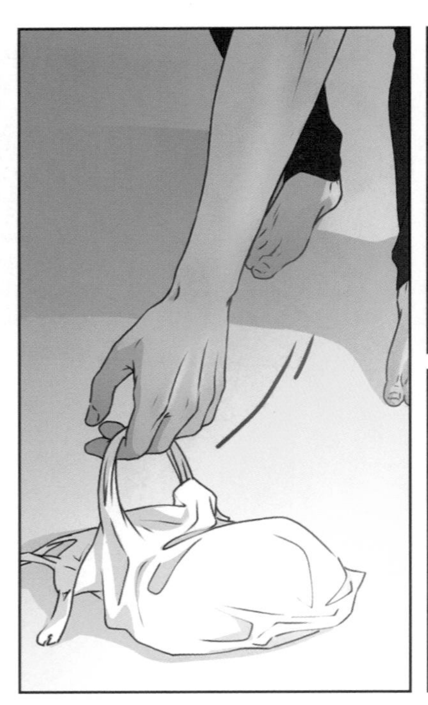

흐으
꿀꺽
하아

으응...
스르륵
득
하아
이러려고 도와준 게 아니었는데….

움찔

멍~

아…

…차경주.

HOW TO

SNAG
AN
ALPHA

HOW TO SNAG AN ALPHA

05

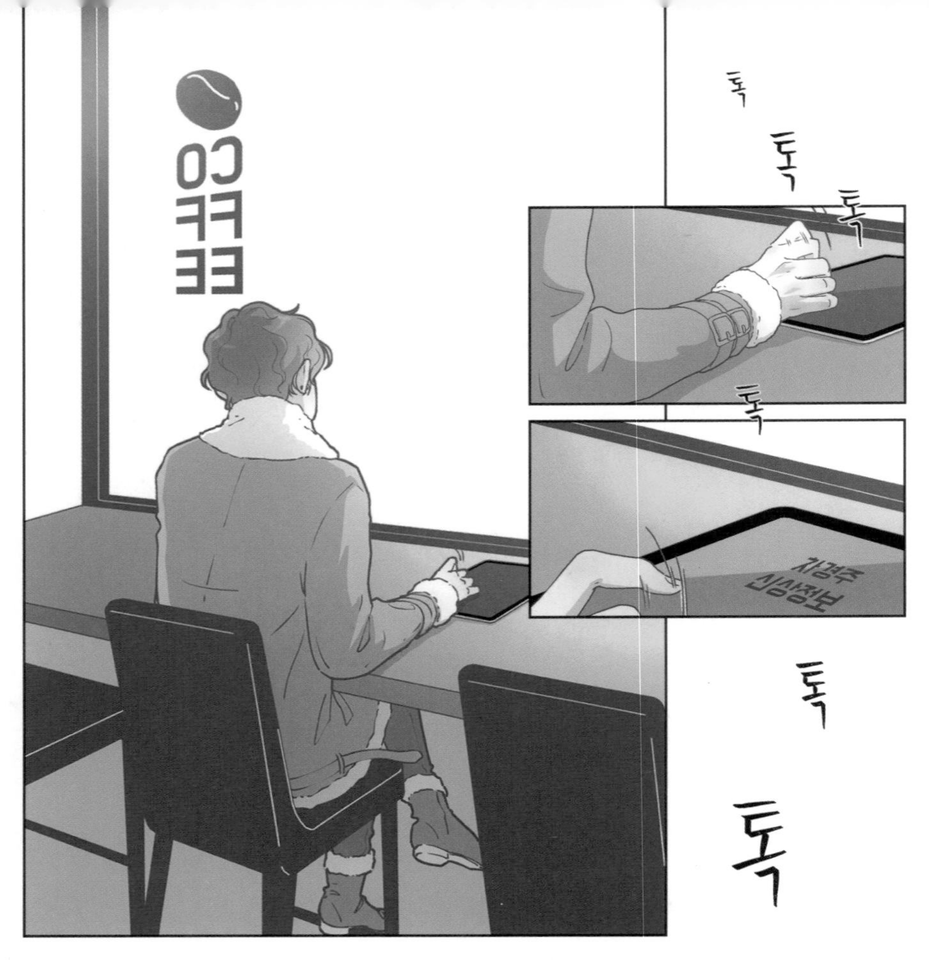
톡
톡
톡
톡
톡
톡

우성 알파….

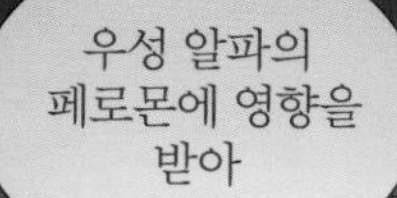
우성 알파의 페로몬에 영향을 받아
우영 군의 호르몬 수치도 상승했습니다.

갑작스러운 상승으로 간신히 정상 수준까지 도달했지만,
아직 불안정합니다.

꽈악

정상 수준에서
안정시키려면
툭
우성 알파의
페로몬을
지속적으로 받아야
합니다.
반드시
우성 알파여야
하나요?
다른 알파는
안 되나요?
반드시
우성 알파의
페로몬이어야
해요.
일반 알파의
페로몬은 우영 군에게
영향을 미치지
못합니다.
가급적
빨리 만나세요.
그렇지 않으면….
꼴깍
그렇지

이 상태면
히트 사이클 주기가
불규칙해져서
언제
히트 사이클이
시작될지,
시작되면
며칠이나 하게 될지
예측할 수 없습니다.
우영 군도
알다시피
우성 알파는
아주 희귀해요.
빨리 호르몬을
안정시키려면
그 우성 알파의
페로몬이
반드시 필요합니다.
안정되면
히트 사이클도
주기적으로
올 거예요.
그렇게 되면….

임신도
가능합니다.
켁!
이, 임신이요?
네,
그러니까
꼭
그 우성 알파를….
우성 알파.
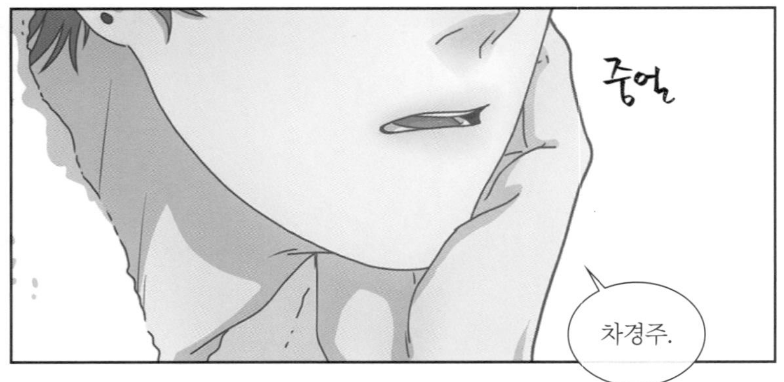
중얼
차경주.

슬슬
나올 시간이
됐는데.

탁!
부릉—

차경주,
29세.

서산 그룹
서 회장의
장남….

SHOTEL
끼익

변 비서님은
바로
퇴근하세요.
네.
위로 누나 1명.
차경희, 36세, 베타.
H재단 장남과 결혼.

양친과 조모는
베타.
조부는
우성 알파.

띵—
스윽
S대
경영학과 졸업.
미국 H대
경영대학원 박사.

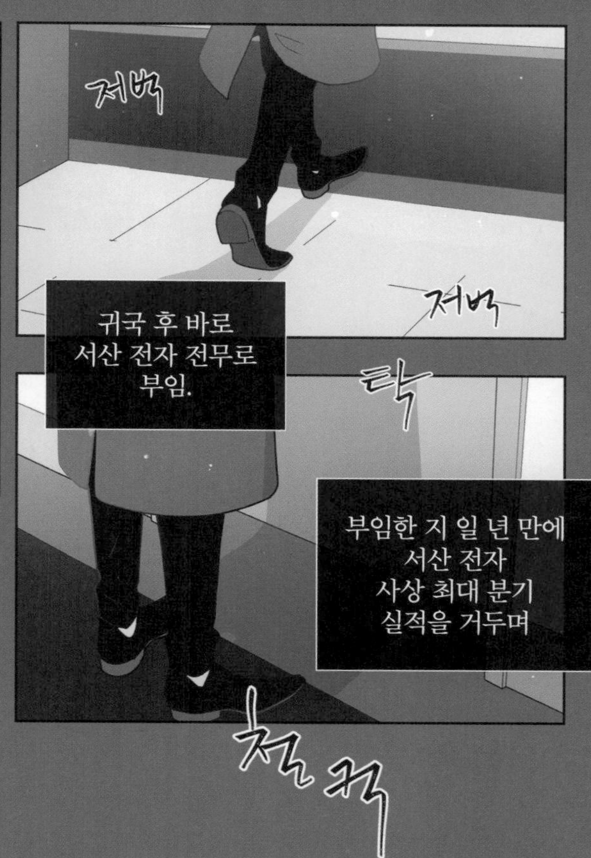
저벅
저벅
귀국 후 바로
서산 전자 전무로
부임.
탁
부임한 지 일 년 만에
서산 전자
사상 최대 분기
실적을 거두며
철컥

초고속 승진으로
현재

서산 전자
부사장.

귀국 후
지속적인
연애 상대,
휙
없음.

스륵
먼저
씻을래요?

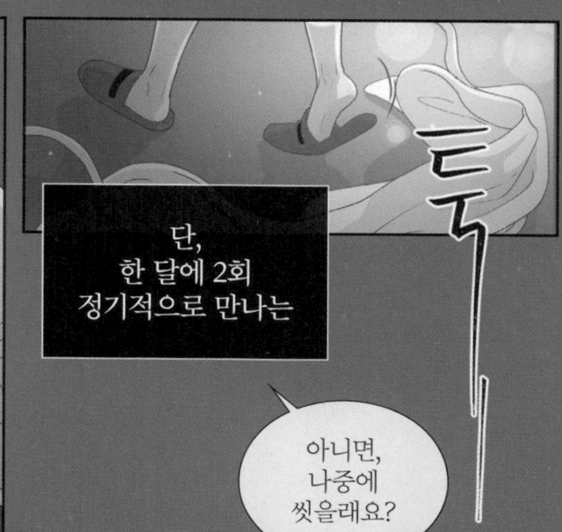
툭
단,
한 달에 2회
정기적으로 만나는
아니면,
나중에
씻을래요?

난 이미
씻었는데.
섹스 파트너가
있음.

파—

덥석
휙

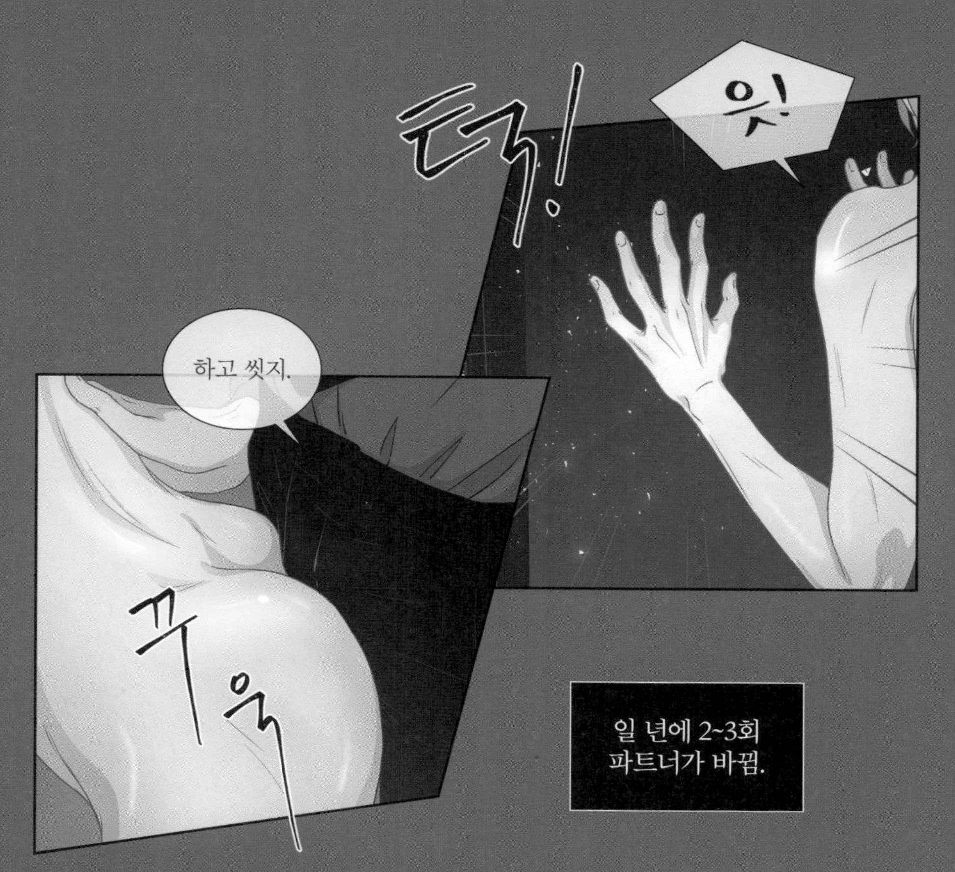
턱!
읏!
하고 씻지.
꾸욱
일 년에 2~3회
파트너가 바뀜.

훅

덥석
웃!
쿵
꾸욱
하아
오늘따라 서두르네요.

까득
아읏!
꽈악
흣!
으읏
아앗!
파트너는
모두
베타였음.

탁-
섹스
파트너라…
툭
연애는 싫고,
즐기고는
싫고?
칙-
턱
근데…
왜 베타만
만나지?
성적
취향인가?

으쓱
홀짝
픽—
아직
나 같은 오메가를
못 만났나 봐?
ㅋㅋㅋ
어쨌든!
COFFEE
탁!
일단 지켜보겠어,
차경주.

HOW TO

SNAG
AN
ALPHA

HOW TO SNAG AN ALPHA

06

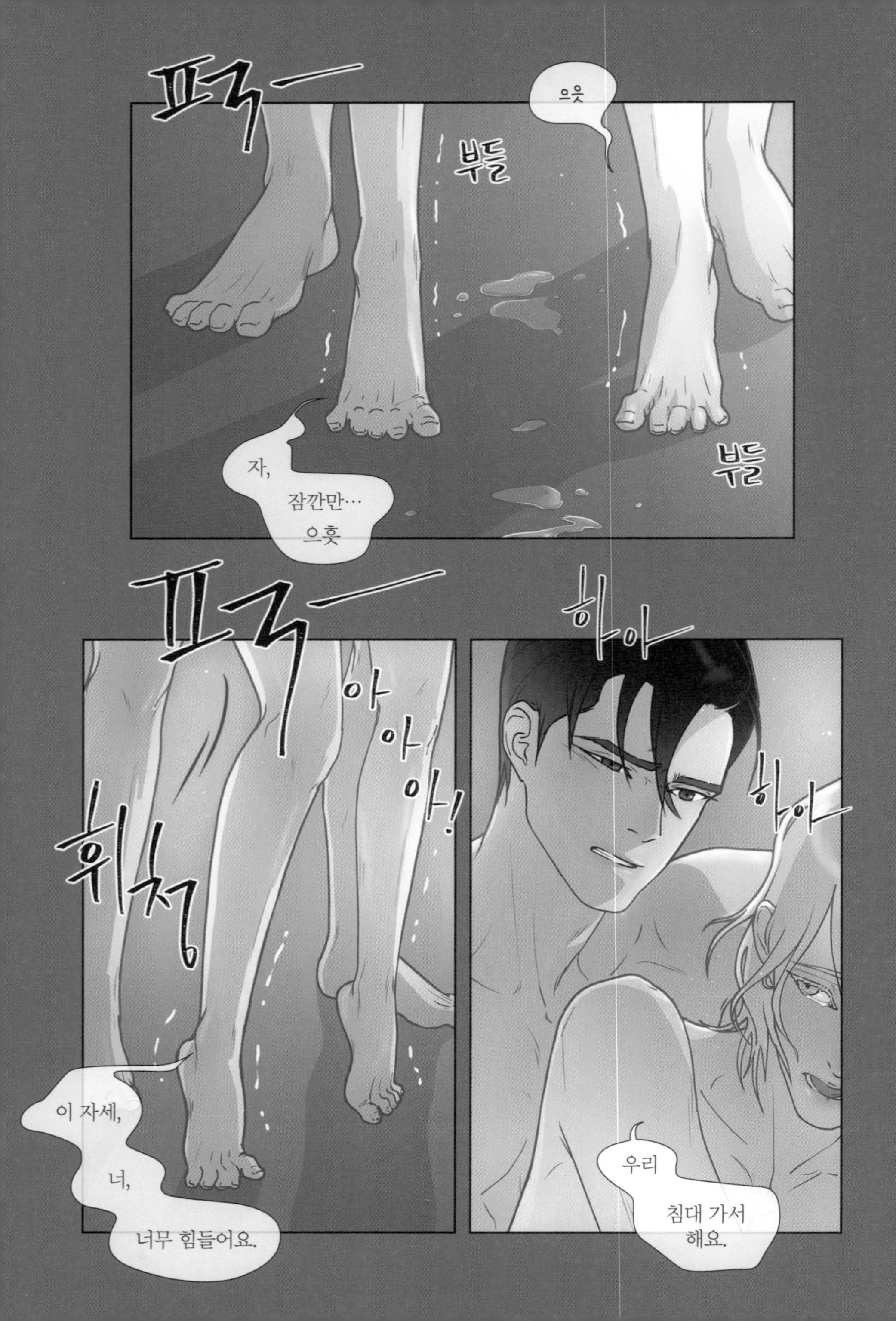
푸욱—
으읏
부들
부들
자,
잠깐만…
으흣
푸욱—
아
아
아!
휘청
이 자세,
너,
너무 힘들어요.
하아
하아
우리
침대 가서
해요.

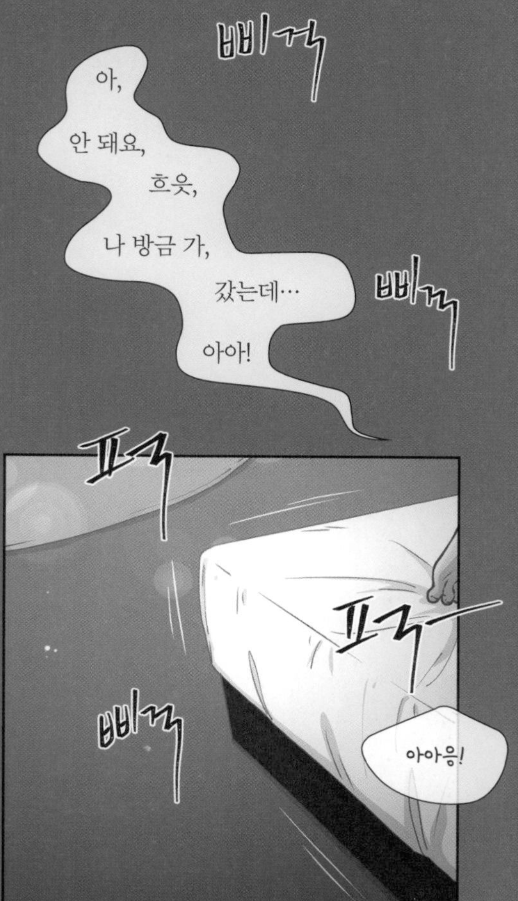
삐걱
아,
안 돼요,
흐읏,
나 방금 가,
갔는데…
아아!
삐걱
삐걱
아아응!

번쩍!

꽈악
미, 미칠 것
같, 아읏,
으흑

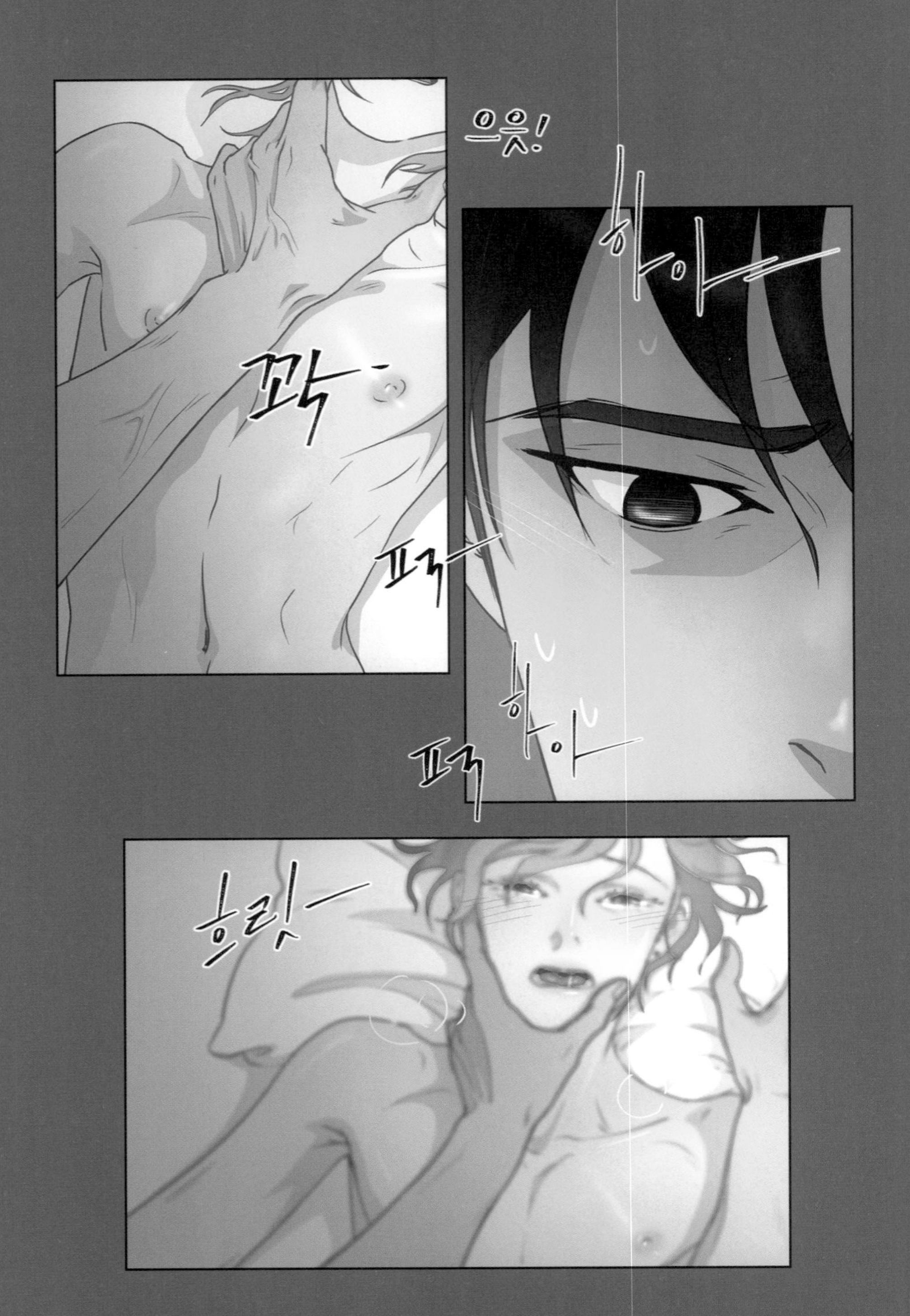

으읏!
하아--
꽈--
프그--
하아
프그
흐릿--

이게 무슨!
하아
미쳤군.
왜,
왜 그래요?
아니야,
오늘은
그만하지.
예에?

하아아아
꽈악!
아아!
차겨ㅇ,
응!
하아
흐읏!

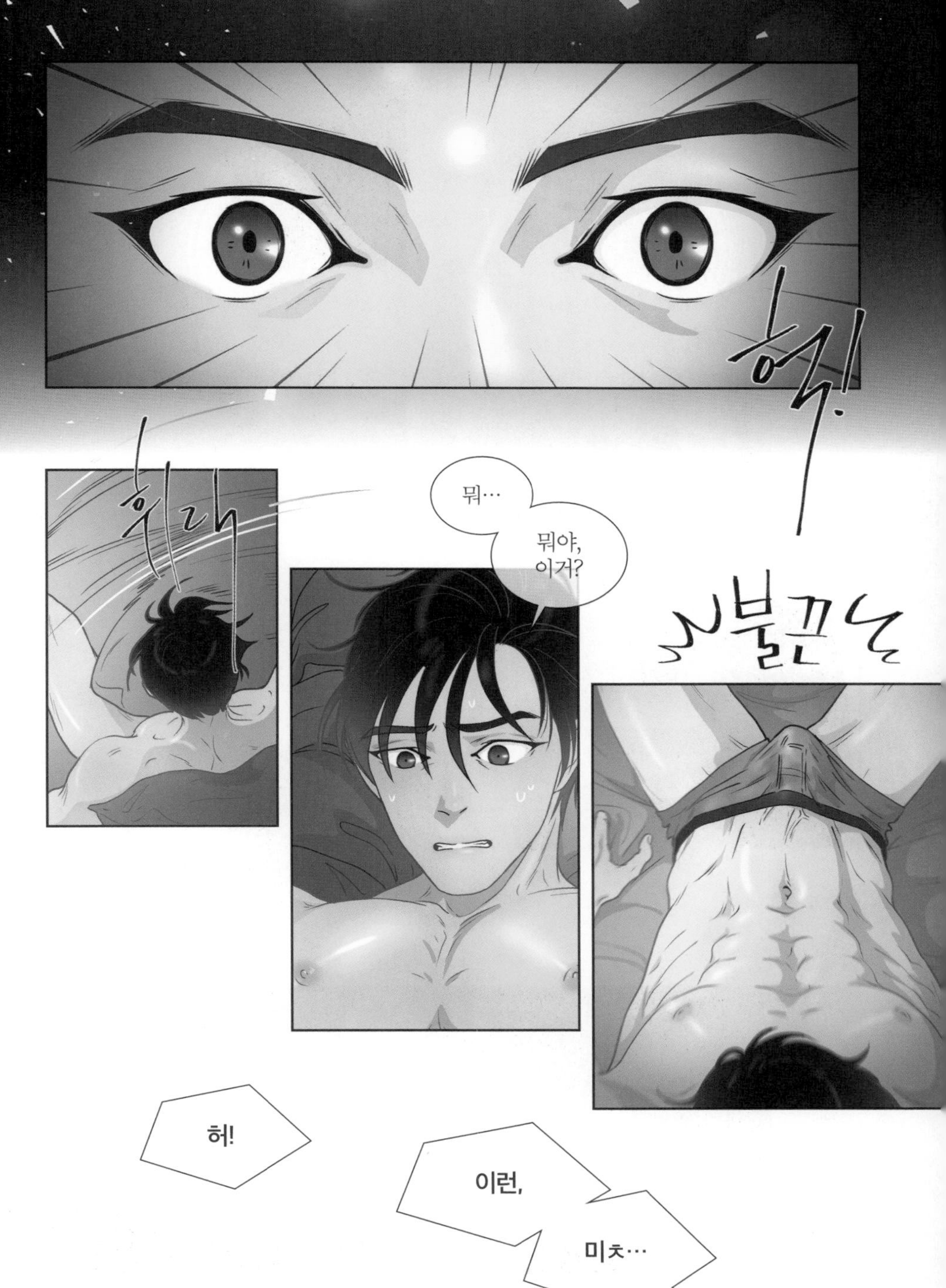
헉!
휘리
뭐…
뭐야,
이거?
불끈
허!
이런,
미ㅊ…

불쑥
좋은 아침입니다, 부사장님.
조,
좋은…
아침이네요…
변 비서님.
흠칫!

휙
??
왜 그러십니까?

갸웃
무슨 일 있으십니까?
??
아니요,
아무것도 아닙니다.
꾹꾹
이상하다.
분명히 본 것 같은데.

아씨!
깜짝이야!

괜히 놀랐네.
홀짝!

이거…
사람이 먹는 게 아닌 거 같은데.

이런 걸 어떻게 마셔?
성적 취향도 요상하시더니,
커피 취향은 괴상하시네.
차경주는 매일 아침 이 괴상한 걸 마신다는 거지?

쩌릿!!
아씨!
탁!
아직도 심장이 벌렁거리네!
우성 알파라서 촉이 좋은 건가?
두근
두근
설마~
짐승도 아니고…
에이~
거, 거리가 있는데.
그래도 좀 더 치밀해져서 나쁠 건 없지.

윤우영.
23세,
경이대
4학년.

압구정
윤 회장의
막내 손자입니다.
탁!
윤우영 신상정보
윤우영
경이대학교
압구정
윤 회장?

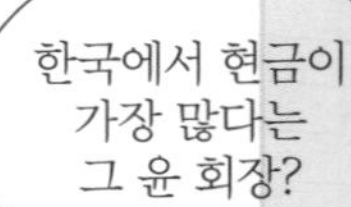
한국에서 현금이
가장 많다는
그 윤 회장?

네,
정재계에서
급할 때마다
찾아간다는
그
윤 회장이요.

긁적
근데,
윤 회장 손자를
왜 난 몰랐지?
그게,
윤 회장이 집에서
대대로 알파 집안인데
유일하게 베타라서
그런지…

멈칫
공식 석상이나 모임 같은 곳에 전혀 얼굴을 안 비춘답니다.
베타라고?

움찔
네,
베, 베타라고 하던데…
뭐가… 잘못됐습니까?
아니, 아닙니다.
아, 그리고 저녁에 본가에서 식사하시는 거 잊으시면 안 됩니다.

회장님께서 저번에도 결혼 얘기 하셨습니까?

…늘 하시는 얘기죠.
저는 바로 본가로 갈 테니,
변 비서님도 퇴근하십시오.

쭉…!
네.
힘내십시오. 부사장님.

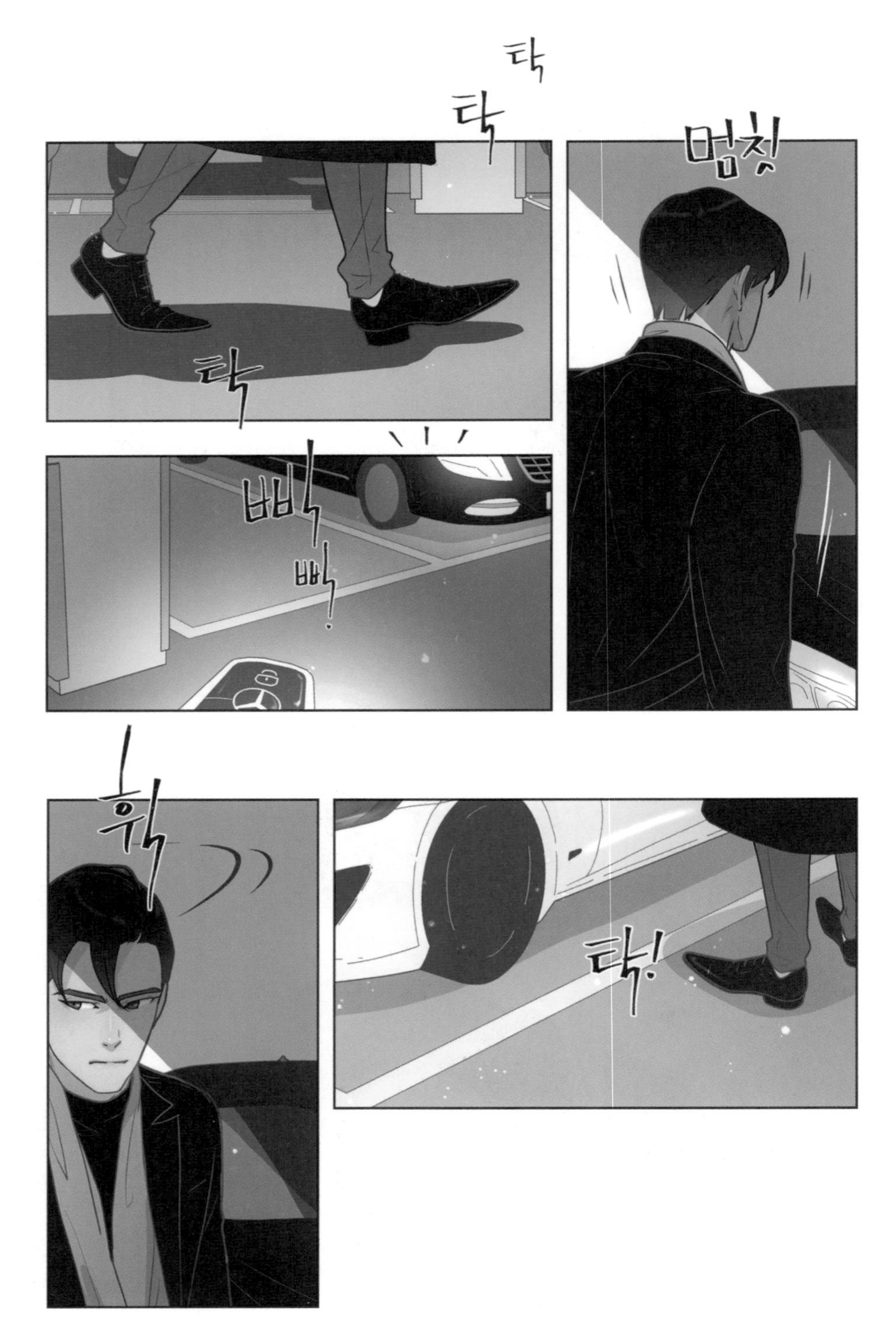
탁
탁
탁
멈칫
삐삑
삑!
휙
탁!

똑
똑

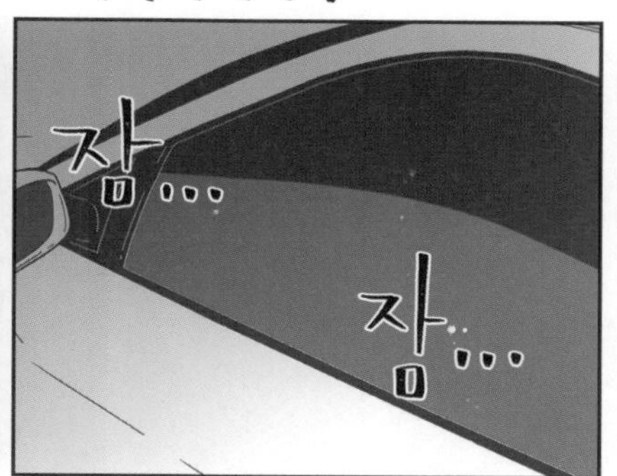
....
잠...
잠...

문 열어.
있는 거
다 알아.

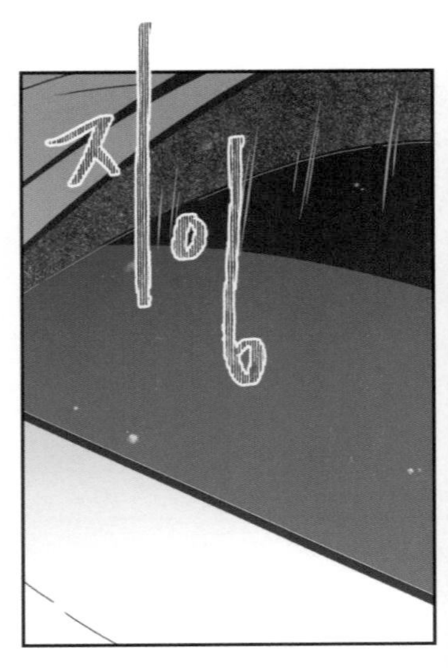
지잉

어,
어떻게
알았대?
잘 숨은 것
같았는데….

하!

경주 차

HOW TO
SNAG
AN
ALPHA

07

왜
계속 주변에서
어슬렁거리지?
움찔
내, 내가 어,
언제 어,
어슬렁,
거, 거렸다고….
휙
아니라고
할 거면,
난 바빠서
이만 가지.
아니!

철컥
아니,
아닌 게 아니고,
그게 아니라!
다급
멈칫!!
자.
잠깐만!
움찔
그래,
할 말 있으면
해봐.
여기서 하긴
좀 그렇고
어디 가서
앉아서…
내가
좀 바쁜데,
여기서 하지.
여기서
할 말이
아니라니까.
그럼,
난 간다.
꽈…악
아씨!
알았어, 해!
여기서 한다고!

흠흠
그게,
그러니까…
우리
이런저런
일도 있었고…
꼼지락
그것도 인연이고
하니까,
서로를
조금 더…

시간을 가지고
알아가는 것도
나쁘지 않을 것 같—
톡
톡
짧게!

서로 조,
좋은 감정을
가지고
마, 만나ㅂ
본론만!
삐질
삐질
움찔!!

사,
버럭!
사귀자고!
누가?
누구랑,
뭘 하자고?
너랑 나랑
여, 연애…

휙
싫어!
그럼,
먼저 가보지.

.....

자, 잠깐만!
덥석
왜?
왜?
왜 싫어?

내가 어떤 사람인지,
뭐 하는 사람인지도 모르잖아. 근데 왜?
네가 어떤 사람인지, 뭐 하는 사람인지 모르니까
너랑 연애 안 한다고.
그,
그래, 모르지. 그렇긴 한데…
그러니까 시간을 가지고 천천히 알아 가자고…
내가 모르는 사람한테 시간을 투자해가면서 천천히 알아 갈 만큼
한가하지가 않아서 싫다고.
툭
그러니까 먼저 가지.

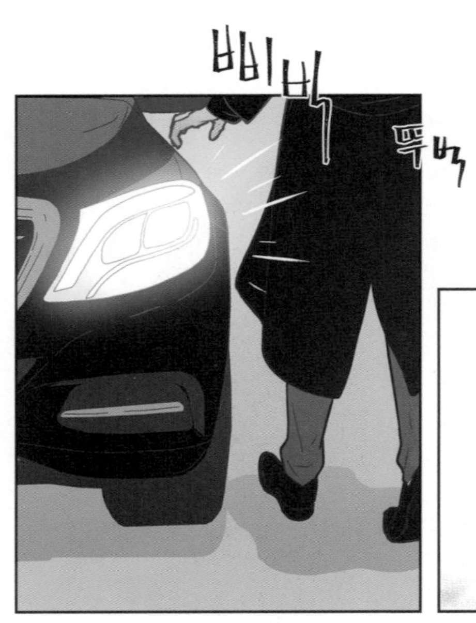
삐비빅
뚜벅

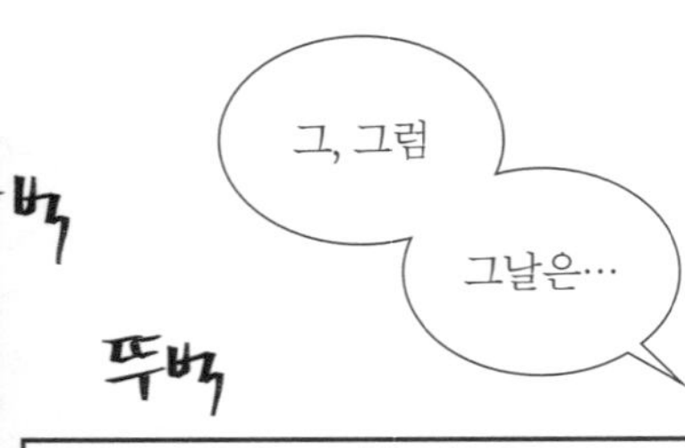
그, 그럼
그날은…
뚜벅

꽈악

버럭!
먹튀냐!

먹고 튀는 거냐고!
이 양아치 자식아!

멈칫!

그, 그날!
그렇게 저렇게 해서 꿀꺽 하고,
지금은 입 싹 닦겠다고! 이 나,
뺀… 새끼…

탁!
움찔!

휙

헉!
잘 들어.

호텔에선
진짜 양아치 같은
놈한테서
내가
널 구해주는
선의를 베푼
거고.
꾹
꾹
선의를
베푼 사람을
먼저 덮친 건
내가 아니라
너야.
그리고,
정확하게
하자고.
난 먹은 적
없어,
삼키기도
전에!

부릉~~~

OUT
잠잠…

덜덜
내가…

내가 울어서 중간에 참은 거야?
그래서 끝까지 안 간 거였어?
삐삐
오오, 차경주—.
쪼오끔 설렜어—.

저벅
저벅

저벅
불쑥

좋은 아침입니다.

변 비ㅅ…
움찔

굿모닝~

변 비, 서…
네가 왜 여기 있어?
두리번
두리번
차경주한테 얼굴 보여주러 왔지.
뭐?
오는 김에 커피도 주고—
굿모닝도 하고—
헤헤
분명히 어제 말했던 것 같은데,
못 알아들었나?

흠…
그래.
차경주 말을 듣고 내가 생각을 해봤는데,
순서가 잘못됐더라고.
사귀고 알아 가는 게 아니라,
알아 가면서 사귀는 거더라고.
무슨 헛소리를…
척
우리가 성급하게 몸을 먼저 알아버려서 헷갈렸어.
우린 몇 번 만나본 적이 없으니까 네가 내 매력을 모를 수도 있지.
음… 그럴수있어~
그래서 이제부터 자주 보면서 서로를 알아 가보려고.
슥
싫다고 했는데.
차경주는 시간이 없다고 했지만, 괜찮아.

뭐가 괜찮다는
거야?
덥석
내가 많거든,
시간.
학교 방학해서
넘치게 많아!
허!
어이
없음

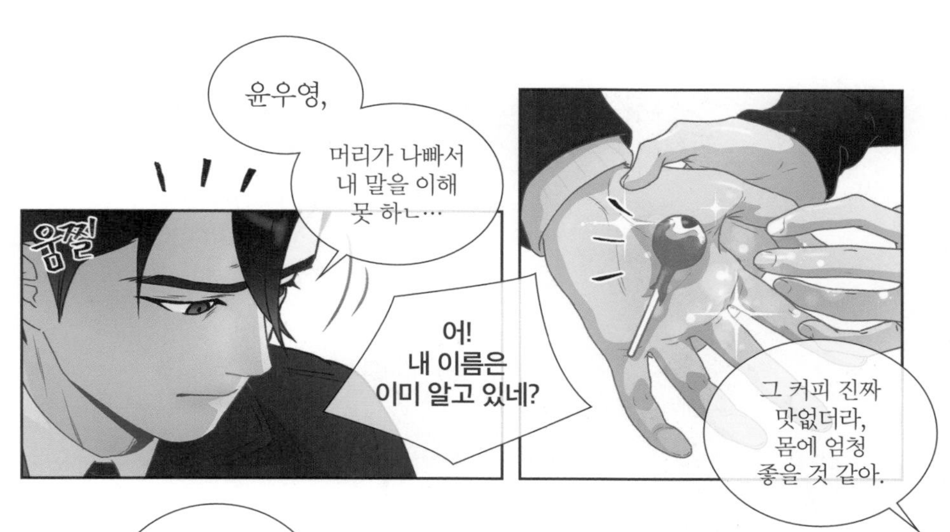
움찔
윤우영,
머리가 나빠서
내 말을 이해
못 하ㄴ…
어!
내 이름은
이미 알고 있네?
그 커피 진짜
맛없더라,
몸에 엄청
좋을 것 같아.

그러니까
몸에 나쁜,
맛있는 것도
먹어—!
그럼,
나중에
또 봐!

……급퇴장……
…… ……

부사장님!
휙
다
다
다
다
다
다
다
늦어서 죄송합니다!
황당한 일에
휘말려서요!
헉
헉
헤
가만히 있는
차 앞으로
갑자기
사람이 뛰어들어서…
아무래도 보험…
사기, 꾼…
변…
비…서

아!
왜 그러고 계십니까?
커피, 직접 사셨…
…사탕도 직접….

HOW TO

SNAG
AN
ALPHA

HOW TO SNAG AN ALPHA

08

굿모닝~
굿모닝~
굿모닝~
굿모닝~
굿모닝~
굿모닝~

절레
절레

피식-
똑똑
흠흠
들어오세요.

30분에
기획팀 4분기
결산 보고 회의
있습니다.

회의 후에는
오늘 중에
처리해주실 결재…

아!!

회장님께서
점심 식사 같이
하시자고 하십니다.

또요?
요즘 왜 이렇게
자주….

찝찝

이유는
말씀 안 해주셨고,
시간과 장소만
말씀해주셨습니다.

네?

요즘 아침에 출근이 조금씩 늦으시는데…
무슨 일 있습니까?
울먹
울먹
아니…
부사장님, 제 말 좀 들어보세요.
오늘은 아침에 커피를 사러 갔는데 로스팅하고 있다고, 조금만 기다려달라 그래가지고
30분을 기다렸고요.
??
구구
그제는 제 앞에 이중 주차한 차 주인이 계속 다 와간다더니
30분 후에 도착했고요.
절절
그그제는 타이어가 터졌고,
줄
그그그제는 제 차 앞에서 접촉 사고가 났는데
줄
자기들끼리 도로 한복판에서 싸우기 시작하더니…
설마…

아!
알겠습니다.
나가보세요.
하아
부사장님, 변명 같지만 믿어주셔야 합니다.
급피곤
예, 믿습니다.
저도 너무 황당한 일이 연이어 일어나서 굿이라도 해야 하나 고려 중입니다.
알겠습니다 믿습니다.
축
부사장님…
훠이~
추궁하는 거 아니니까,
그만. 나가보셔도 됩니다.
훠이~
네…

방학했다면서
매일 새벽부터
어딜 그렇게 싸돌아다녀?

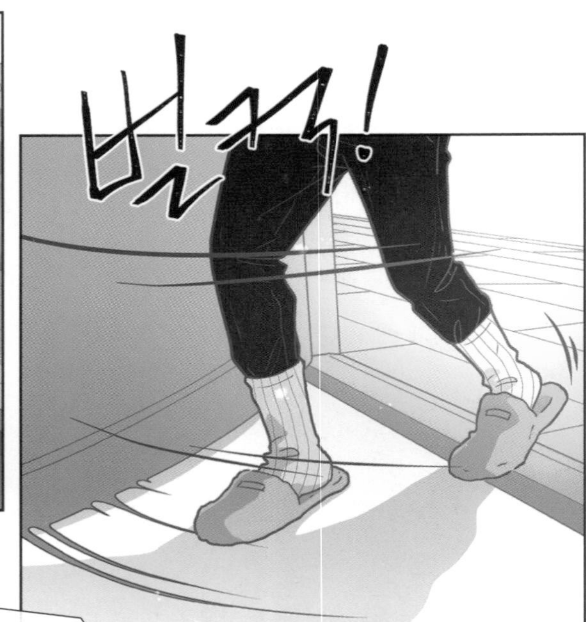
벌컥!

학교를 좀
그렇게 열심히 다녀봐!
쾅!
발재간

피곤 해~~~~ 아
풀~썩~
내일은 또 뭘로
차경주 비서를 지각하게 하냐고!!!
아아아,
휙
며칠 동안 뇌를 너무 많이 썼어.
이번 주 내내 꼭두새벽부터 빨빨거렸더니
현기증 나는 것 같아.
이 몰골로 차경주 앞에 설 순 없어!

꾸물
꾸물
조금만 자고
일어나서 퇴근 시간 전에 다시 가야지.

크......으...

모닝콜
14 : 30
14 : 35
14 : 40
14 : 45
14 : 50
14 : 55

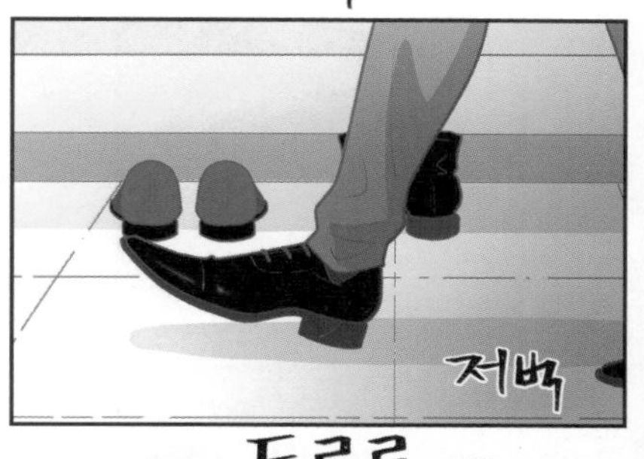
저벅
저벅

드르륵…

아버지.
저 왔습니다.

갑자기 왜 밖에서
식사를…
멈칫!

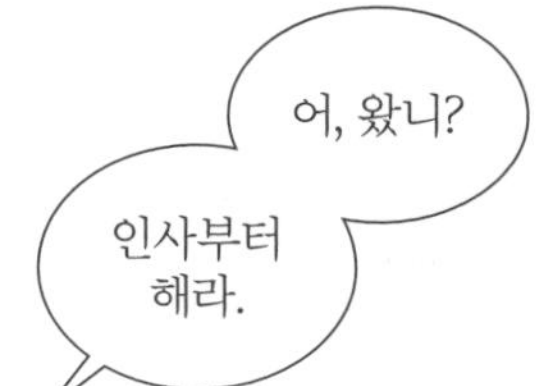
어, 왔니?
인사부터 해라.

박 의원님
따님이시다.
안녕하세요.
박민아라고
해요.

생긋
제가 있는
자리인 줄
모르셨나 봐요.

민아 양이
이해해주세요.
저놈이
하도 바쁜 척을
해서 말이죠.
하하,
괜찮습니다.

만나서
반가워요,
차경주 씨.
꽈악

부웅
…제가 그런 자리 안 나간다고 말씀드렸는데도요.

힐끗
그래도 식사는 마치고 나왔지 않습니까.

꾹
꾹
밥만 먹고 가면, 누가 좋다고 하겠냐!
차도 좀 마시면서 대화를 해야지!
그렇게 해서 결혼은 어떻게 하겠냐?!

결혼은
제가 알아서 하겠다고
했,
알아서 하긴
개뿔이 알아서 해!!!
알아서 한다는 놈이
그렇게 매몰차게
굴어!
늘 베타들만
끼고 다니고,
제대로 된 오메가는
언제 만날 생각이냐!!

아버지…

전
오메가 같은 거
만날 생각
없습니다.
바빠서
먼저
끊겠습니다.
아니!
알파가
오메가를 만ㄴ
뚝

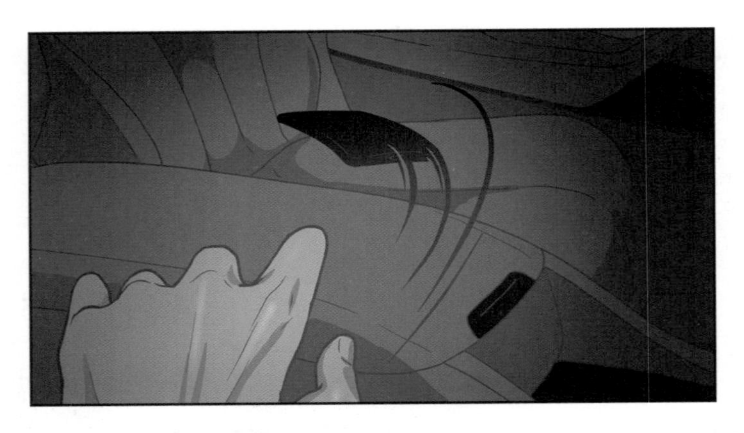

부…
부사장님…

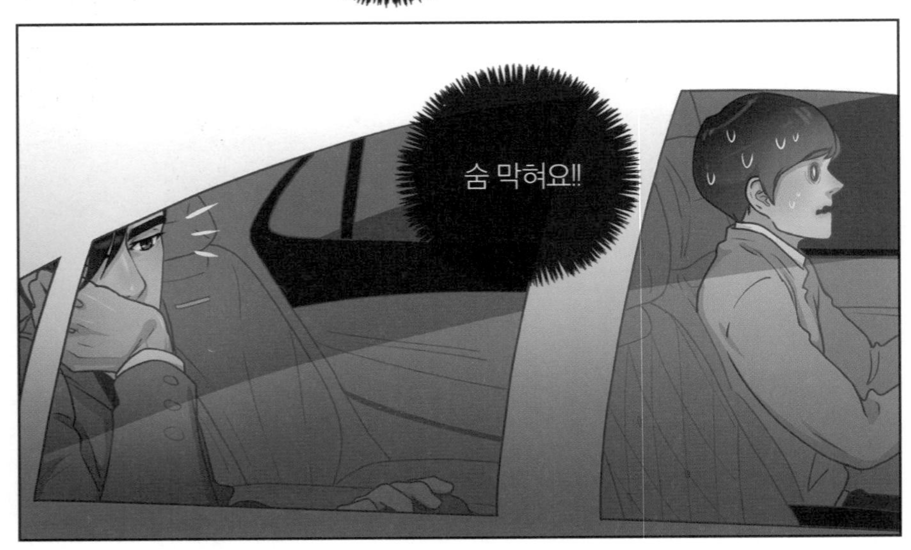
숨 막혀요!!

멈추세요.

예?
아, 네.

COFFEE

오메가라….

흠~
빤

옳거니!
홍차라떼 하나 주세요.
헤헤 단거♥
홍차라떼 한 잔 주문하셨습니다.

슥
같은 걸로요.

확
어디서 숟가락을 …!

어!!!
차정주다!

싸늘—
전
오메가 같은 거
만날 생각
없습니다.
헤에에
우, 우연히
만나니까
더 반갑네—!
차경주가
사는거야?
힛♥

HOW TO
SNAG
AN
ALPHA

09

최근 검색어

페로몬 사용법

알파와 섹스하는 법

알파가 좋아하는 체위

알파 꼬시는 방법

[한 시간 전]

멈칫!!
그만해.
이제 그만
얼쩡대라고.
싫어!
말했잖아,
자주 보다 보면
너도 내가
좋아질 거야—!

내가 널
왜 좋아할 거라고
생각하는 건데?
내 입으로
이런 말하기 좀
그렇지만…
솔직히
나 정도면
꽤 괜찮잖아.
그럴 일
없으니까
그만
따라다녀.
아니!
그날,
그래…!
내, 내가 먼저
너 꼬셨어!
인정!
그래도
너도 좋았으니까
넘어온 거
아니야?

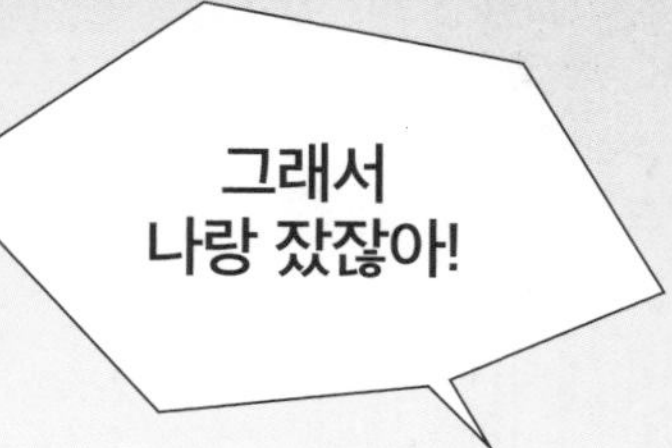
그래서
나랑 잤잖아!

말했지,
안 잤다고….
COFFEE
어쨌든
잘 뻔했지!

그날은
네 히트 사이클
때문에 일어난,
단순한
사고야.

아니!
난 단순히
페로몬 때문만은
아니었다고 생각해!
(어차피 난 페로몬도
안 나온다고)
너도 어느 정도는
나에게 끌렸기 때문에
그렇게 된 거라고!
날 뭘로
보는 거야!

좋아.
그럼
히트 사이클이
아닐 때도
내가
너한테 넘어가면
사고가 아닌 걸
인정하지.
응!
나도 콜!

그럼,
바로 호텔로
가지.
COFFEE
지…
지금?
왜?
싫어?
그럼
그만두고.

벌떡
흠칫
아, 아니!
가자!

가…

빼꼼
근데
화, 확실히
해두고 싶어서
그러는 건데!
쭈뼛
쭈뼛

그
너, 넘어온다는
기준이
바,
발긴가?
아니지.

파
만지면 서는 게
당연한 건데,
발기론
안 되지.

그, 그럼?
사정이지.

툭
위…
위는
천천히 벗ㅇ…
…넌 왜
안 벗어?
누구
좋으라고
스스로 벗어?
나쁜 ㅅ…
계속
서 있을 건가?
해!
한다고!

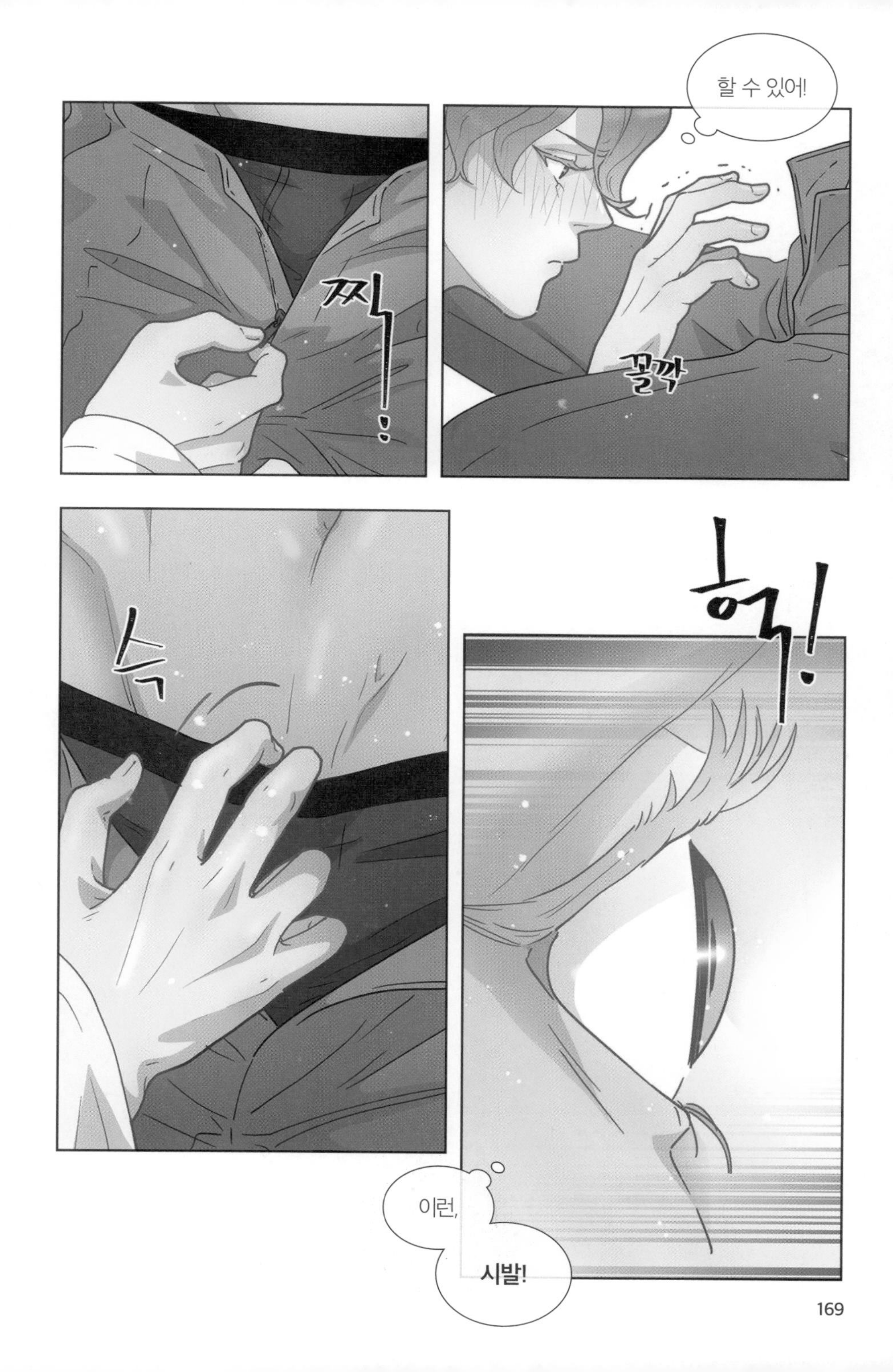

찌익!
할 수 있어!
꿀꺽
스슥
헉!
이런,
시발!

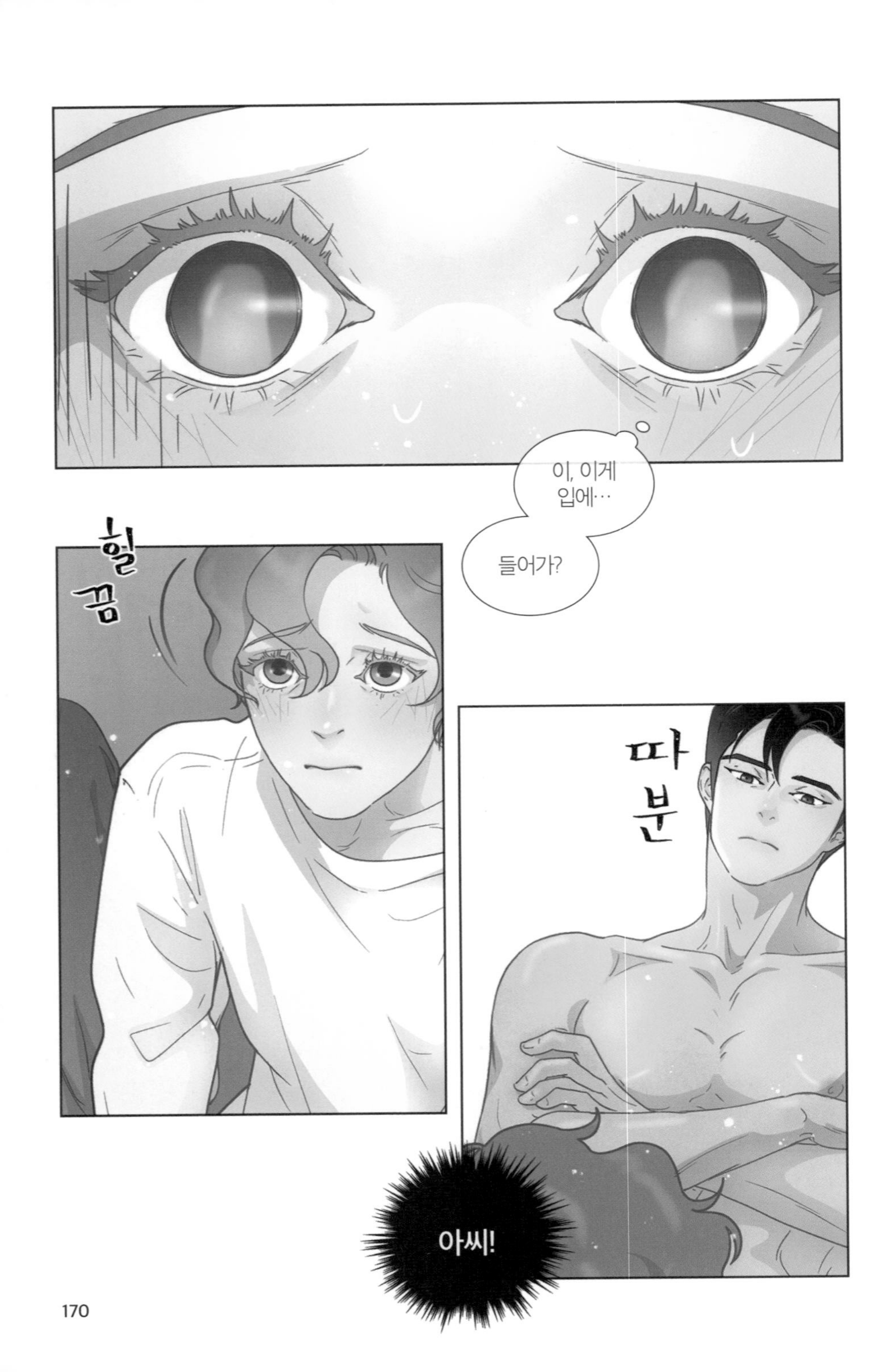
이, 이게
입에…
들어가?
힐끔
따분
아씨!

모르겠다!
일딘 꺼냈으니
뭐라도
해봐야지!

할짝

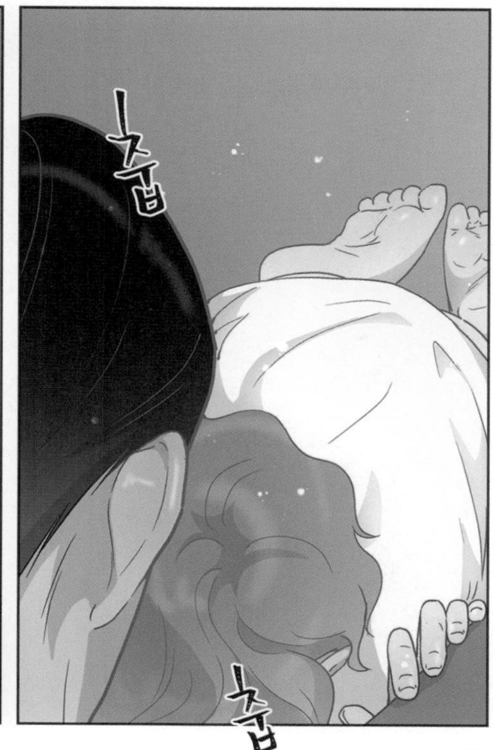
츄릅
츄릅

츄읍
쪽
쪽
츄읍
뚝
으으
턱 아파.
언제까지
해야 돼?
밑에도
이상해….

힐끔
꾸깃
어? 표정이…
이게 아닌가?
할짝
할짝
어쩌지? 이렇게 하면 다들 금방 싼다고 했는데….
왜 차경주는 안 싸!
삐질

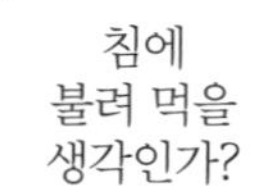
침에
불려 먹을
생각인가?

꾹

더
기다려야
되나?

벌떡
이대로
포기할 순
없어!

차경주,
내가 꼭 가지고
만다!

꾸욱
으으…
왜 안 돼?

푹
아아!
읏!
야!
갑자기
그렇게,
파들
아….

줄얼
파들
줄얼
파들
툭
아파…
…윤우영.

으우우우주경차
야,
왜 그래?!
왜 울어?
차경주 거…
존나 커!
존나
아파아아!!

으아아아앙!
그, 그러게
그렇게 갑자기
넣으니까…
아파아아아아!

HOW TO

SNAG
AN
ALPHA

HOW TO
SNAG
AN
ALPHA

10

하아
하아
웃—
흐읏

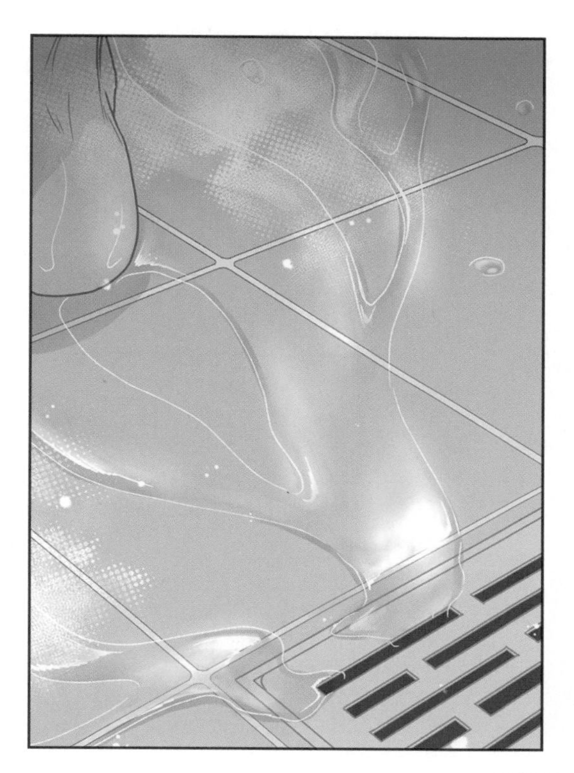

이게
뭐 하는
짓인지….
하아

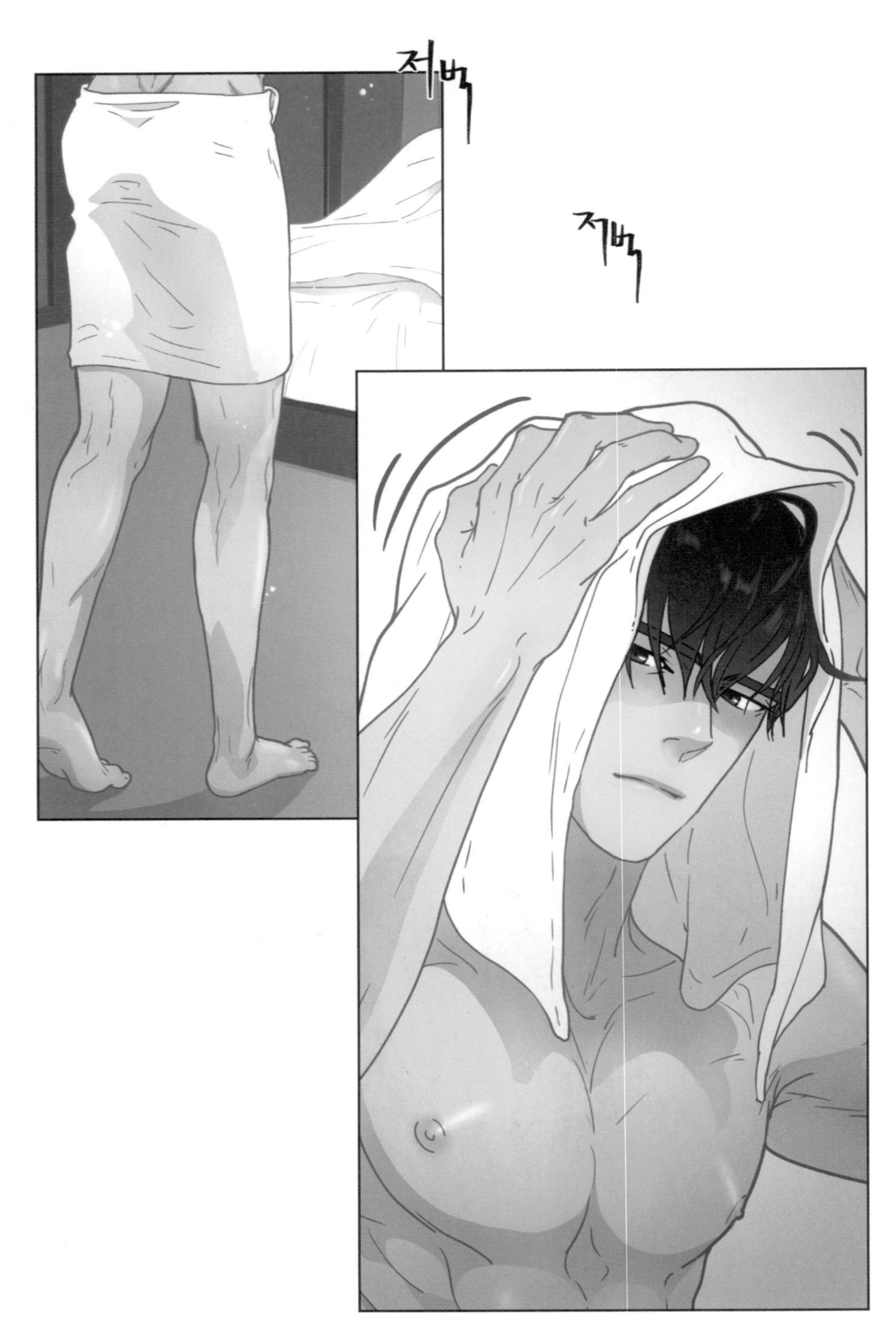
저벅
저벅

하!
하!
너 때문에 이게
몇 번째야?

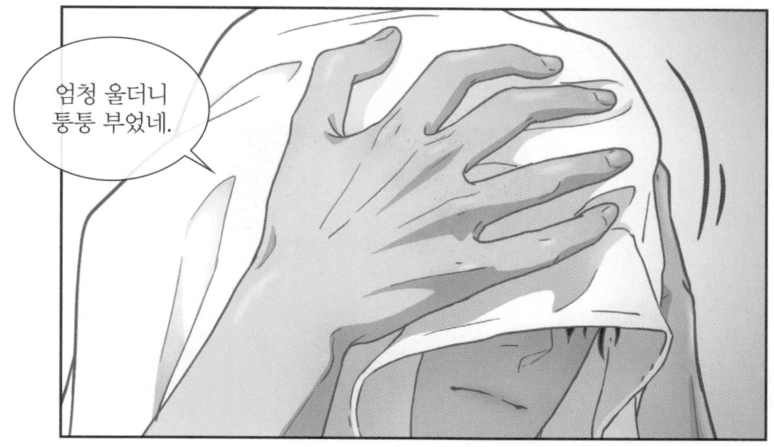
엄청 울더니
퉁퉁 부었네.

으으흑—

파들
으으—
흐윽

하아
나도 아파,
그러니까
일단 빼고
얘기하자.
응?

꽉!
으으— 안 돼!
가만 있어 봐!

으으,
나도 아프다고!
그러니까
일단 좀…
싫어!
빼면,
빼면… 흑,
그걸로
끝나는 거잖아!
그럼 이제
차경주랑 못 만날
테고!
흐윽
그래서 지금
이러고
뭐 어쩌자는 거야?
그게 무슨…
꽉~
싫으면 싸든가!
난 포기 못 해!

흑—
으으흐으으
움찔
움찔
하아
그래,
내가 생각이 짧았어.
슥
이건 좋은 방식이 아닌 것 같다.
그러니까 우리 앉아서 대화로 해결하자,
응?

쑥
안돼!!
찰싹
안 돼,
안 떨어질 거야!
난
차경주 없으면
안 돼!

풀석
하아

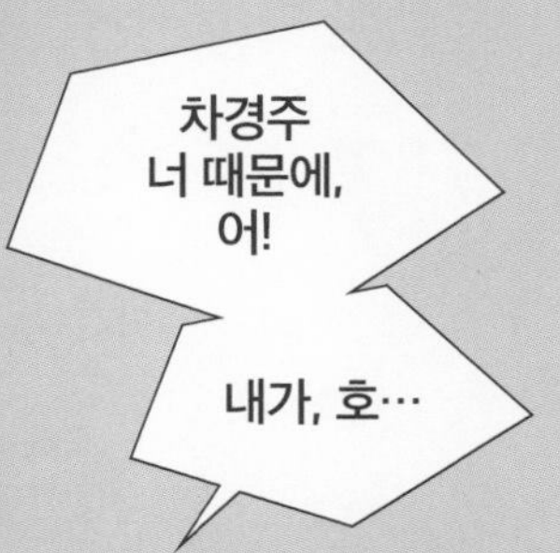
차경주
너 때문에,
어!
내가, 호…

호르몬이
불안정해졌단
말이야!
그, 그래서
어… 언제
어디서 힛싸가
올지도 몰라!
언제 어디서
무슨 짓을 당할지도
모른다는 게 얼마나
무서운지 알아?
꽉ㅡ
휙
차, 차경주,
네가 책임져야 돼!
그게…
무슨 소리야?
내가 책임져야
한다는 게
무슨 소리냐고.

홱
호,
호르몬이 안정될 때까지…
우성 알파 페로몬을…
크흠,
우성 알파를 계속 만나야 된다고!
그러니까 왜…
왜 하필 나야?
다른 알파…
뭐, 틀린 말은 아니니까.

화
애초에
네 페로몬 때문에
이렇게 된 거라
네가
제일 확실한
해결책이래!
그리고
우성 알파가
어디 흔해?
그러니까
네가
나 도와줘야 돼!
빤…
아…
아이고,
아파라…
하아
알겠어.
생각해볼 테니까,
일단 내려와.
짤 짤
안 돼! 싫어!
야!

착
여기서
지금 생각해.
기다려줄게.
아니, 지금…!
IN>>>
뇌가
거기 가 있는 것
같은데…
어떻게
생각을…!

토닥
토닥

토닥
움찔!
후우우우
풀썩

색—
색—
호르몬…
우성 알파…

오메가…

안정될
때까지만이야.

뭐,
섹파 만난다고
생각하면…

하아

그래,
윤 회장 막내 손자를
도와주는 거야.

때가 되면
윤 회장한테
돌려받는 거야.
부재중 통화 6건
변 비서
이거 보시면 바로 연락주...
변 비서
사장님 전화 안받으셔...

툭!
우웅~
움찔

번쩍!
안돼!

가지 마.

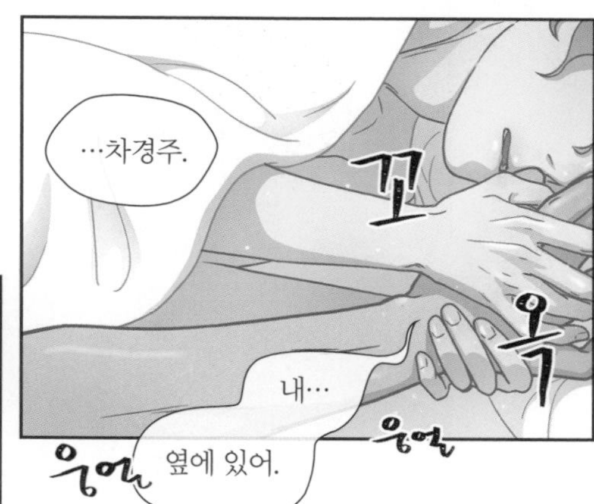
…차경주.
꼬옥
내…
옆에 있어.
웅얼
웅얼

움찔
덥석

피식
응,
안 가.

옆에 있을게.
진짜?
흐에
흐에
응.

스르륵

그 호르몬이라는 게…
안정될 때까지만.
색—
색—

HOW TO SNAG AN ALPHA

11

탁!
흠칫

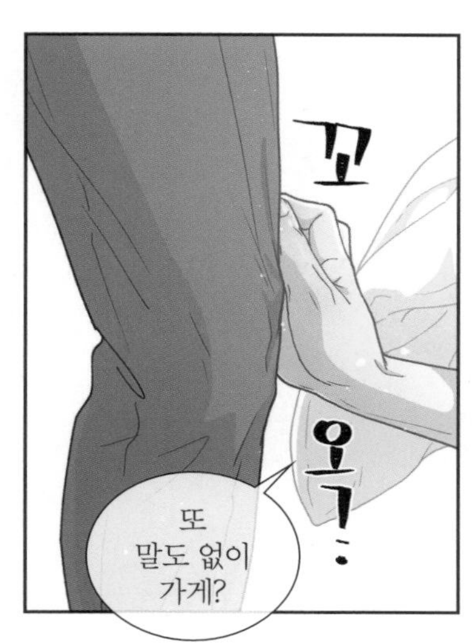
꼬옥!
또 말도 없이 가게?

업어가도 모르게 자더니.

피,
피곤했으니까….

파-
이제 와서 부끄러워하는 건 뭐냐?

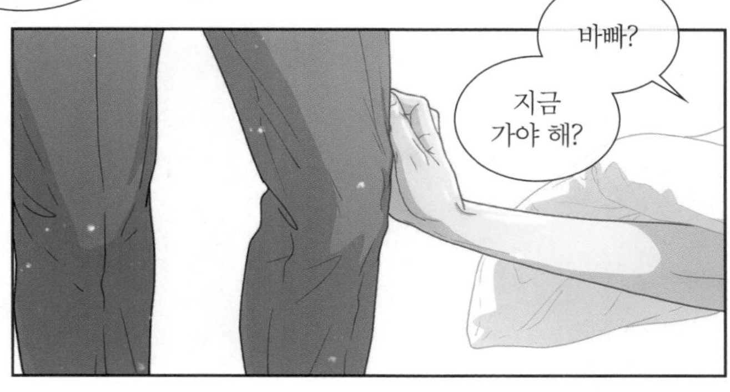
바빠?
지금 가야 해?

응, 바빠.
가야 해.
그럼, 우리…
언제…
만날 시간과 장소 정도는 내가 정해도 문제없겠지?
네 치료를 위해 내 시간을 내는 거니까.
응!
벌떡!
응!

난
언제든지
시간 돼!
헤
헤

쓱

내가
연락할 때까지
기다려,
윤우영.

피식—

철컥

들썩
들썩

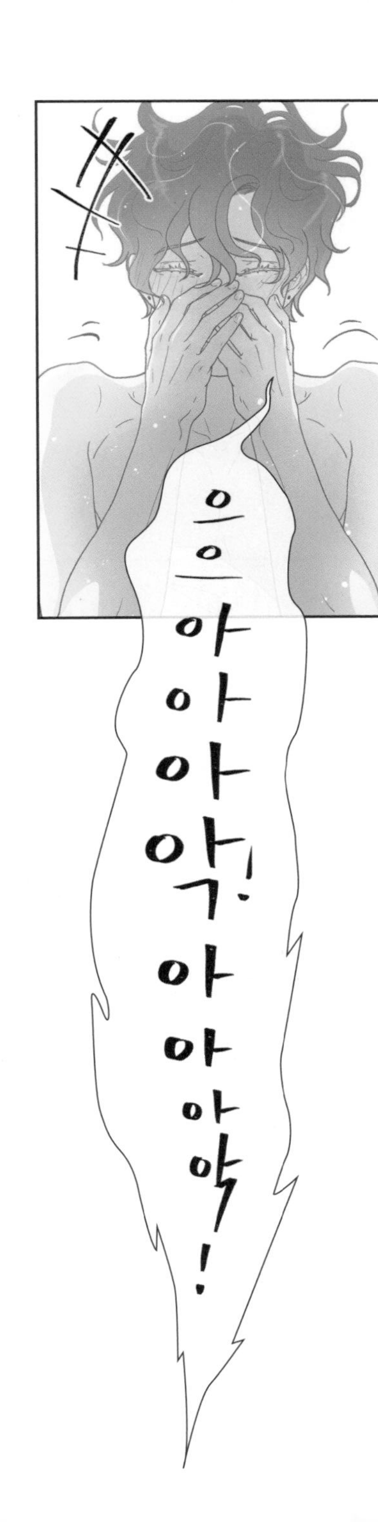
으으아아아악! 아아아악!!

띵동!

어떡해!
어떡해!
아악!
차깽주!
금요일 20시
S호텔 2001호
금요일,
빼꼼
20시면…
띵동!
악!

차깽주!
금요일 20시
S호텔 2001호
대답은?
도독
톡
톡
톡
톡
타다다
다다다다다
탁!
금요일….
결연
차경주.
결판을
내주지!

저벅

저벅

덜컹

쿵

어,
차,
차경주
왔어?
척!
편, 편하게
아, 앉아!
척!
팍
그래?
그럼,
편하게 하지.
슥
어? 어!
그, 그래.
편하게 해.
툭
툭
씻었나?

어? 어!
응! 당연하지!
꼴깍
구석구석 깨끗하게 씻었…
휙
슥
벌러덩
어…
어, 어엇!
깨끗이 씻었는지 확인해 보…

흠…
돌기형,
초박형….
스윽
하,
하하,
뭘 좋아할지 몰라서…
종류별로 준비했어.

휙
난 노콘을
좋아하지만…

네 취향은
존중해주지.
콱!

콩닥
콩닥
콩닥
아씨,
겁나 섹시해!
슥
흘러덩
으아!
하아
차.

휙
경주,
자, 잠깐…
컵!
꾸욱
흐읍!

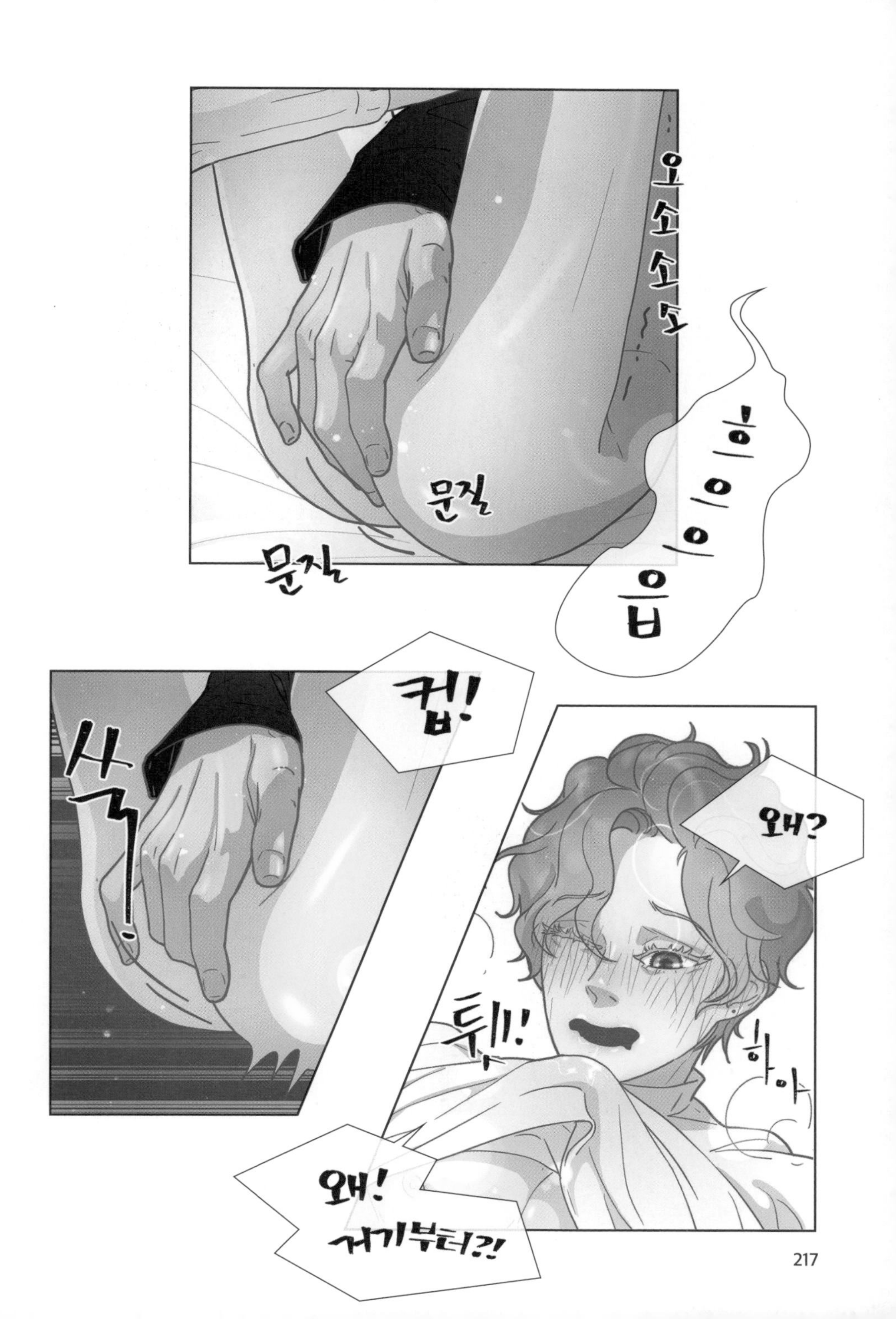
오소소소
문질
문질
흐으으읍
컵!
쑥!
왜?
뒤!!
하아
왜!
거기부터?!

왜?
뭐가
문젠데?

아,
아니 거긴,
그러니까
꾸
욱
다른
데부터…
다른 데?
어디?
키,
키스부터 하는
게…
꼼지락
꼼지락
슥—
윤우영.
쭈욱
응?

번쩍!
너 처음이야?
무, 무슨 소리야!

빤…….
처음 아니야!

너,
너랑 해,

꼬물
꼬물
했잖아.

나랑…
쓱스
흣
하긴
뭘 해!
꼬물
꼬물

HOW TO
SNAG
AN
ALPHA

12

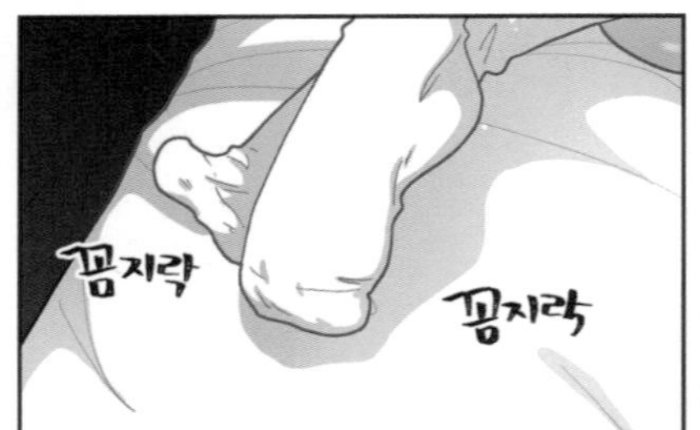
꼼지락
꼼지락

....

힐끔
저어…기,
왜 그렇게
보는….

나 말고는?
엉?
뭐가?

나 말고
다른 사람이랑
섹스한 적 없냐고.

그게…
내가 그동안 베타인 척하느라
알파 보기를 돌같이…
어?
진짜 처음……
벌떡
어?
왜?
왜?!
벌떡

안 돼,
차경주!
덥석

도와준다며,
옆에 있어준다며! 그러니까….
가지 마.

하아
털썩
가려는 게 아니고…
일단 차근차근 하자.
내가 어떻게 도와주면 되겠어?

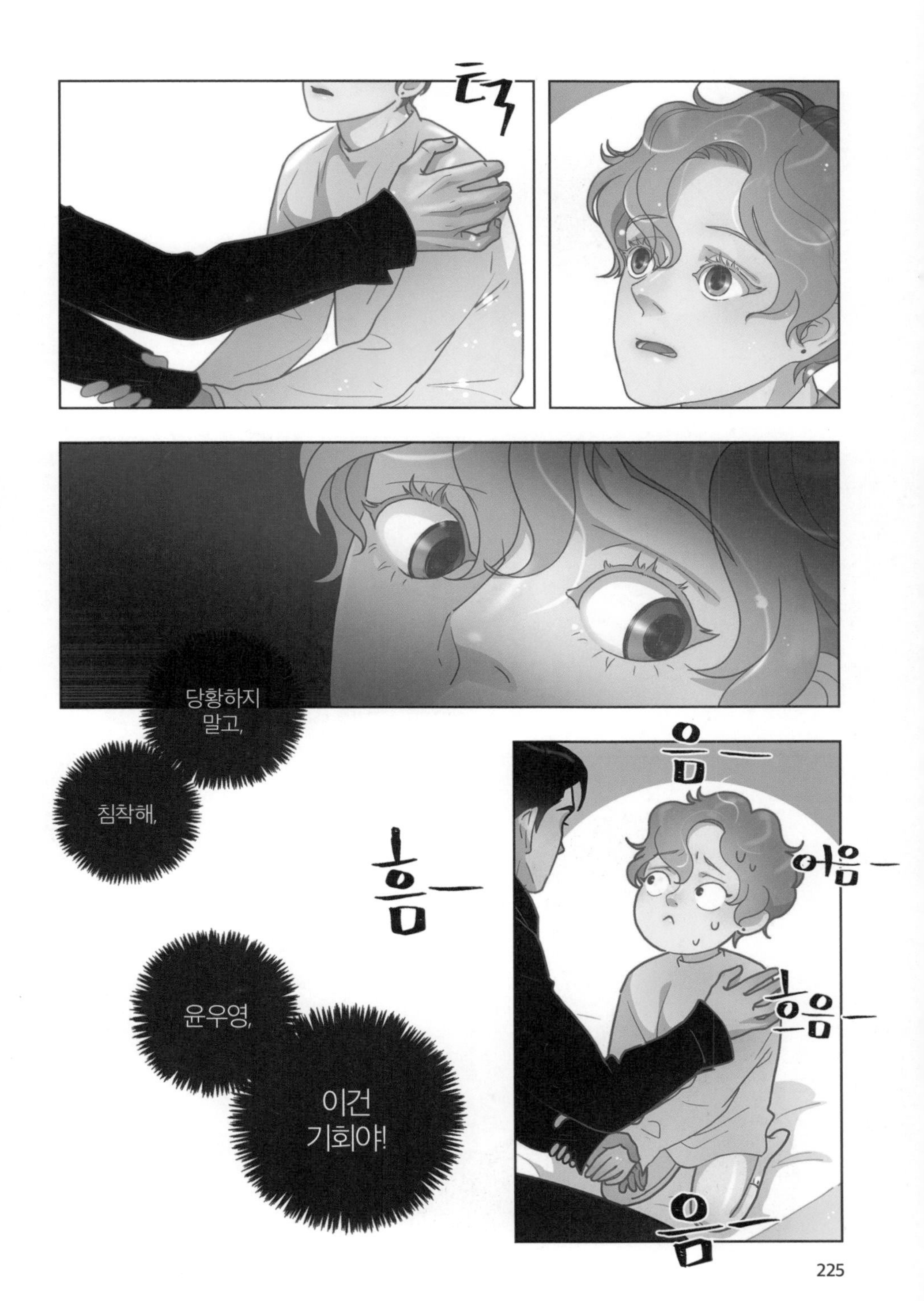
턱
당황하지 말고,
침착해,
흠—
음—
어음—
흐음—
윤우영,
이건 기회야!
음—

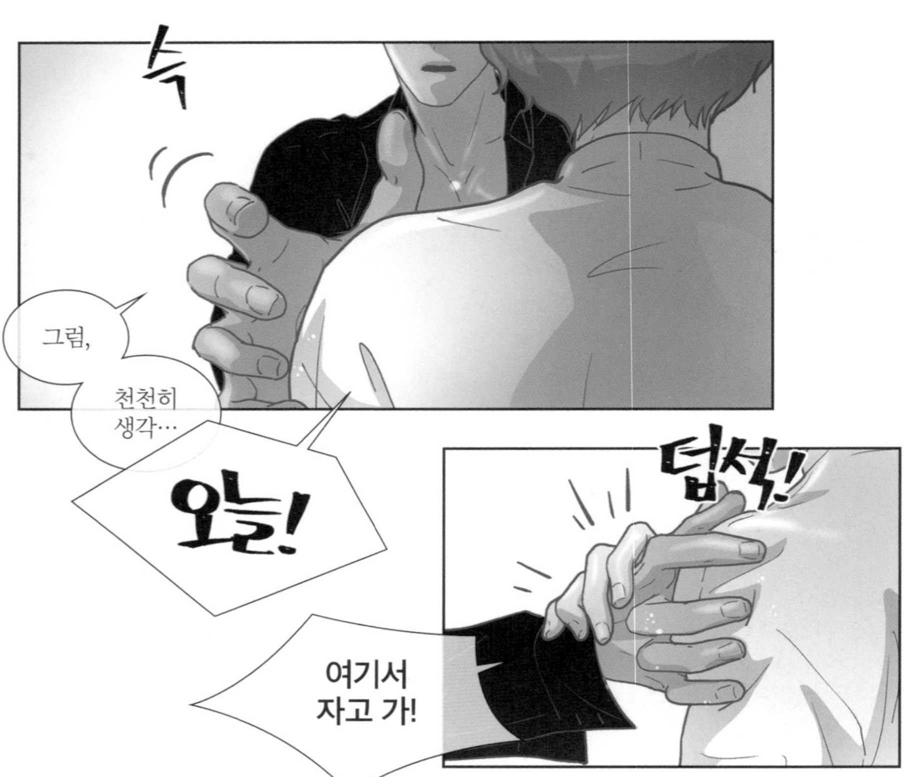
스윽
그럼,
천천히
생각…
오늘!
덥석!
여기서
자고 가!

뭐?
맨날
나만 두고
갔잖아.
그러니까
오늘은 나랑
같이 자고,

내일 가.
아니,
그러니까…

덥석
이러고,
이러고만
자자.

아니, 이러고
어떻게…

내가
제일 먼저 하고 싶은 거
이거야!
꽈악
차경주랑
이러고 자는 거.

하아
그래!
자자, 자.
풀석
이러고 자면 되는 거지?
응!
응!

페로몬 좀…
약하게
뿜어봐.

내가 뭐
누르면 나오는
방향제라도
되냐?
히힛….

폭옥

흐흐흐
히히
부비
부비
좋냐?

좋아!
열라 좋아!
끄덕
끄덕
스담
스담
가면 안 돼.
응.

아침까지.

그래.

윤우영
내일 퇴근하고 만나
!!!!!!
주세요ㅠㅠ
제바아아아아아아알
굽신
굽신
윤우영
아니~ 호르몬도 불안정
한 것 같고...
아무래도 자주 만나야,
호르몬 개선에 도움이
될 것 같기도 하고...
그러니까...
알겠어,
내일 몇시?
윤우영
차경주 퇴근 시간?
7시
윤우영
ㅇㅋㅇㅋ
그럼, 내일 회사 앞으로
데리러 갈껭~♡
오늘
윤우영
정문 앞ㅋ
부사장님,
무슨 일
있으세요?
아니요.

요즘 핸드폰
자주 보시는 게,
연애라도
하ㅅ
아닙니다.
뜨등
스르릉
뚜벅
뚜벅
어...

내가
무슨 말을
못 해요.
궁시렁
찌리릿!!
뚜벅
뚜벅

궁시렁
맨날
'아니요'
'아닙니다'
'아니에요'
꿍시렁
'안 됩니다'
우뚝
아주 노맨이야.
노우….
컥!
헉!

꾸깃
부사장님!
저기 윤 회장네…
아니요,
아니에요.
차경
주
우우우
여기
여기

우—
아…
강한 부정.
푹!

윤우영,
회사
앞에서…
잠깐!

흠칫
쓱

척!
오늘은
내가 풀 코스로
쏜다—!

차경주는
따라만 와!
착!
…그러든가.
헤 헤

레고!
레고!
부와아앙

끼익
휘리릭
자아암깐!
다
다
다
다
다
다
허겁
지겁
응?

척!
자,
내려!
헥
헥

풀 코스로
쏜다더니.

헥 헥

팍-
혹시
밥 먹고, 영화 보고,
차 마시고
하는 거야?

탁!
어떻게…

HOW TO

SNAG
AN
ALPHA

HOW TO
SNAG
AN
ALPHA

13

탁!

맛있게
드세요.

열심
석
석

배고팠어?

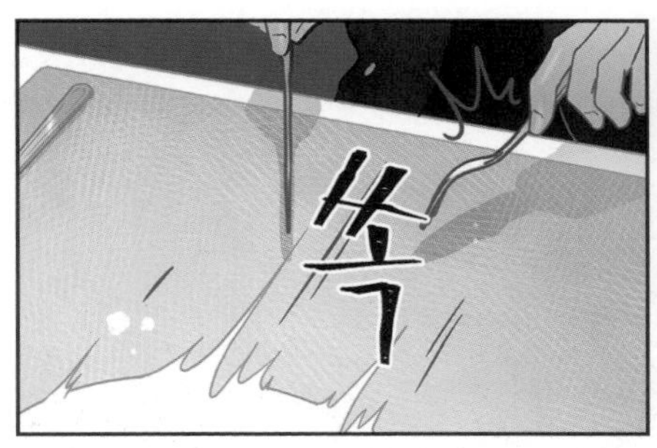

뭐 하는 거야?

*매너가 사람을 만든다.

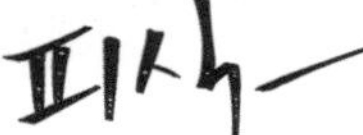

스테이크 말고
다른 음식은
뭐 좋아해?
가리는 음식
없어.
어차피
접대 자리에서
이것저것 가릴 수는
없으니.
헤
헤
쓱 쓱

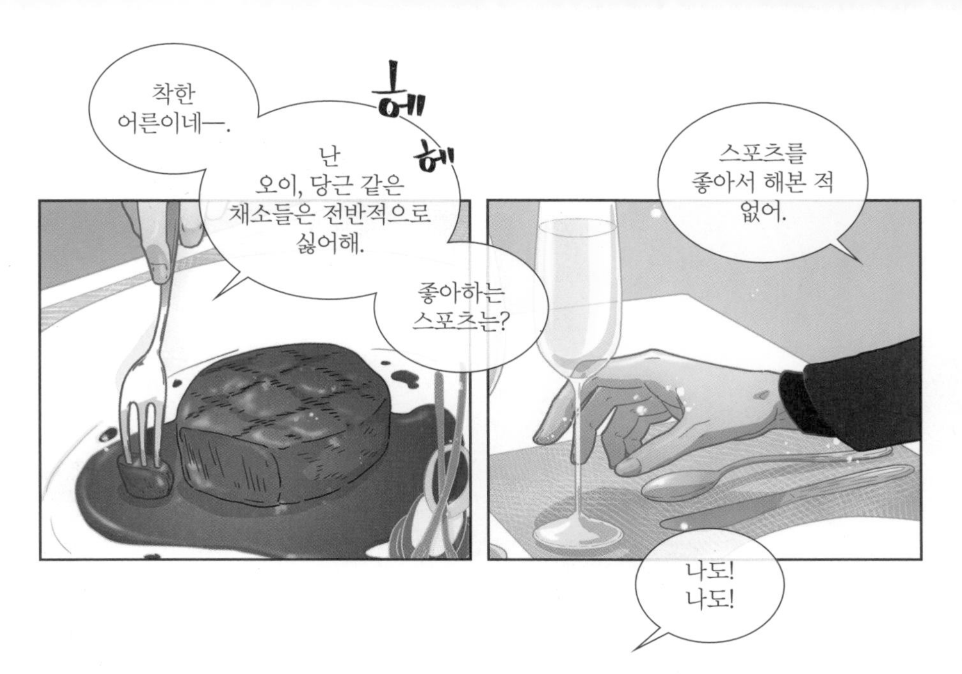
착한 어른이네ㅡ.
헤
헤
난 오이, 당근 같은 채소들은 전반적으로 싫어해.
좋아하는 스포츠는?
스포츠를 좋아서 해본 적 없어.
나도! 나도!

근데, 운동을 안 좋아하는데
몸은 어쩌다 그렇게 됐어?
??
우물
우물

내 몸이
어떻길르…

차경주 씨?
여기서
만나네요.

여긴 어쩐
일이세요?
저번엔
많이 바쁘셔서
대화도 거의
못 했는데.

아,
아버님은
잘 계시죠?
아, 네.
저도 여기서
약속이 있었는데,
이렇게 차경주 씨를
다 보네요.
요즘도
계속 바쁘시죠?

슥
언제
시간 나시면
밥 한 끼 해요.

사라락

꾸깃
저기, 페…
이봐요!

지나가시는
길에
말씀이
너무 많으신 거
같은데요.
네?

푹
아니,
바쁘신 차경주 씨가
없는 시간 내서
지금 저랑
밥 한 끼 하는 거
안 보여요?
아… 아니, 그쪽이
누군지 모르겠지만
말씀이 좀
지나치시네요.
탁!
저도 그쪽이
누구신지
모르겠지만,
매너는 좀
없으시네요.

벌떡
그리고
내가 누구면,
뭐?
어쩔 건데요?
움찔
차경주!
다 먹었으면
가자!
휙
주춤

큭
안 그래도
열라 바쁜데!

정색
흠 흠
아, 그래.

벌떡
바빠서 먼저 가보겠습니다.
식사 맛있게 하시고 가세요.

아, 저… 그럼 다음에 연락…
차경주!
꾸벅
깜짝
그럼.

윤우영,
공공장소에서 그렇게…

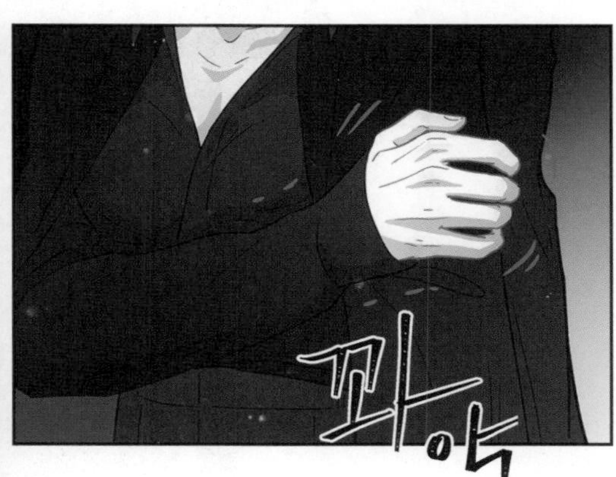
콰앙

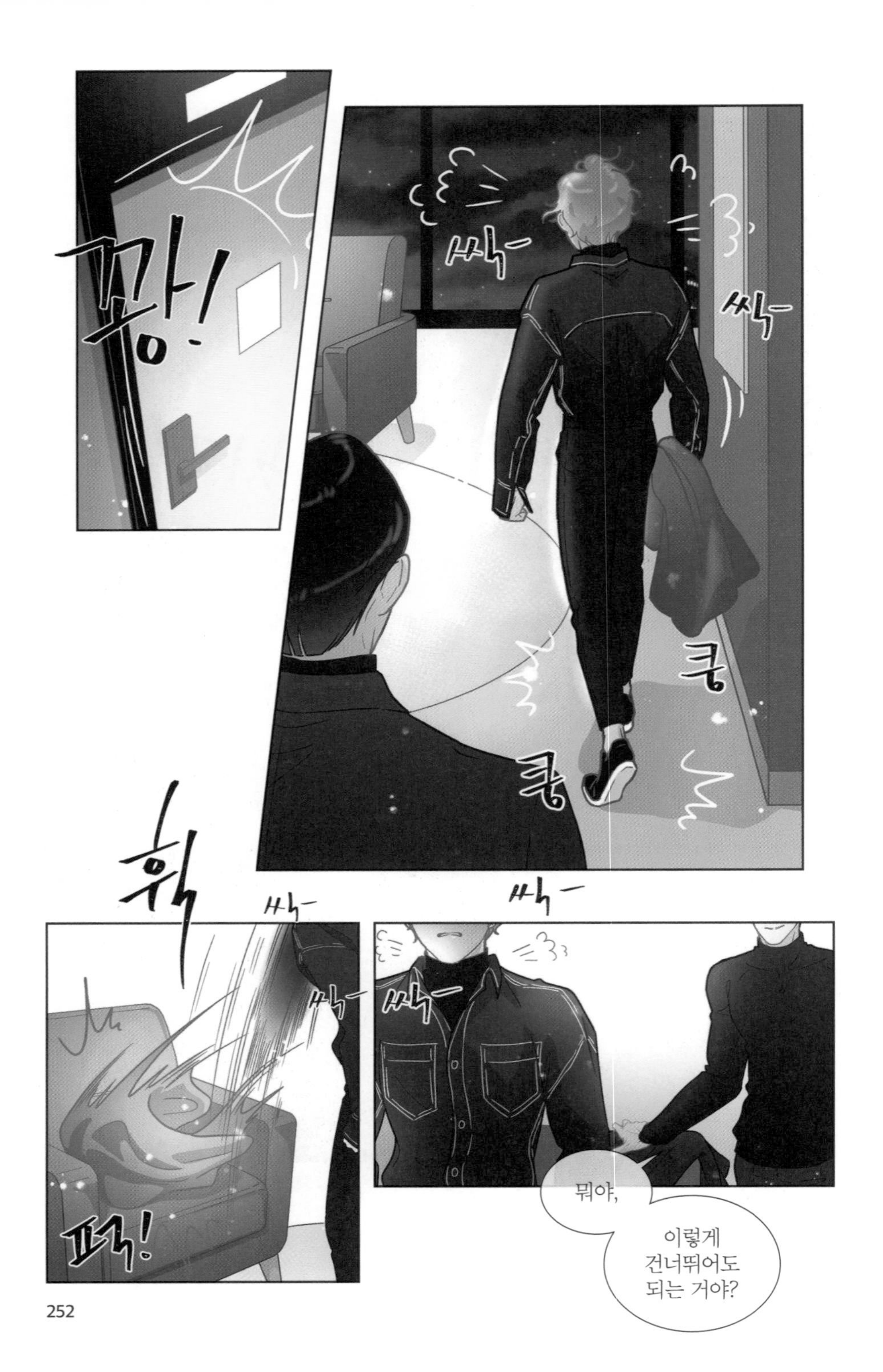
쾅!
쏴-
쏴-
쿵
쿵
휙
쏴-
쏴-
쏴-
쏴-
퍽!
뭐야,
이렇게
건너뛰어도
되는 거야?

휙

이씨잉…
급우울

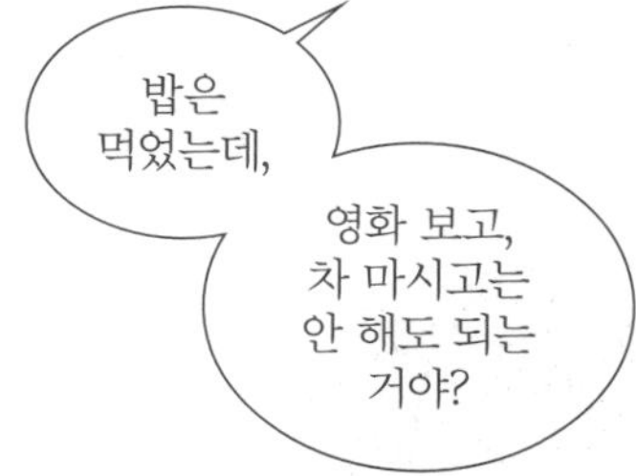
밥은 먹었는데,
영화 보고, 차 마시고는 안 해도 되는 거야?

사악

이리 와봐.
덥석

풀석

나도
할 수 있어!
나도
오메가라고!
빤—

앉아봐.

으읍—
흡—
흡—
뭐 하냐?
허엇—
흡—
흐읍—
윤우영.
뭐 하는 거냐니까?
푸흥!
툭

페로몬…
어떻게 쓰는지 모르겠어.

…짜증 나.
윤우영.

번
꾸욱

휙
내가 얼마나 도움이 될지 모르겠지만,
말했잖아.

내가
도와준다고.
.. ..

쪼옥
와락!

〈그 알파를 꼬시는 법〉
다음 권에서 계속

HOW TO

SNAG
AN
ALPHA

그 알파를 꼬시는 법 시즌1 1

초판 1쇄 인쇄 2023년 12월 5일
초판 1쇄 발행 2023년 12월 20일

지은이 킴녕
펴낸이 이승현

로맨스 팀장 오가진
편집 한정아
본문 디자인 (주)디자인 프린웍스
표지 디자인 SONBOMDESIGN 김지은

펴낸곳 ㈜위즈덤하우스 **출판등록** 2000년 5월 23일 제13-1071호
주소 서울특별시 마포구 양화로 19 합정오피스빌딩 17층
전화 02) 2179-5600 **홈페이지** www.wisdomhouse.co.kr

ISBN 979-11-6871-974-3 07650
979-11-6871-973-6 (세트)